だからあれほど言ったのに

内田樹

マガジンハウス新書
022

まえがき

みなさん、こんにちは。内田樹です。

今回の本も、コンピレーション本です。あちこちの媒体に書いたものをエディットしてもらって一冊にしました。タイトルをどうしようか考えました。最初編集者からは「仮題」というもの（『不思議の国ニッポン』というのです）が提示されたのですが、なんだかぴったり来ないなあ……と思って、「ちょっと考えさせてね」と言ってお待ちいただきました。この「まえがき」を書いている段階でも、実はまだ正式タイトルが決まっていないのです。

タイトルに必要な条件とは何でしょうか。今ちょうどそれについて考えているところですから、「まえがき」に代えてそれについて考察してみたいと思います。そして、この「まえがき」を書き終える前に、タイトルを思いついたらそれを採用することにします。作品の生成過程そのものを作品化するって、なんだか懐かしい「60年代」みたいですね。

　そういえば、このところ僕のところに来る仕事って、あの「懐かしい60年代、70年代」を回顧するインタビューが多いんです。つい先ほども「1972年の時代の空気についてインタビューしたい」というオファーがありました。その年に『木枯らし紋次郎』と『必殺仕掛人』の放映が始まったんだそうです。そういうアウトローをヒーロー視する時代の空気があったんでしょうかという質問が書かれていました。

　企画書を書いているのは40歳くらいの人なので、もちろん52年前の時代の空気なんか知りません。僕が40歳の時（1990年です）の52年前というと1938年です。前年には盧溝橋事件があり、日本軍が上海に侵攻し、暮れには南京大虐殺があった頃です。もし、その頃の「空気」を知っている73歳の古老に40歳の僕がインタビューする企画があったとしたら、どうなったでしょう。「その頃の日本人て、いったいどんな気分だったんですか？」と僕が訊《き》くと、「戦後生まれの若い人にはわからんじゃろうがのう……」というふうに古老は語るんでしょうけれど、彼が何を語るか僕には想像もつきません。

ともかく、僕ももうそういう年回りになってきたようです。ここ数年は「現代史の生き証人は語る」というタイプのインタビューが増えました。1969年の三島由紀夫vs東大全共闘の時代の駒場の空気はどんなでしたかとか、羽田闘争で山﨑博昭君が亡くなった時に何を感じましたかとか、早稲田大学で川口大三郎君が殺された時にはどう思いましたかとか、いろいろ訊かれます。

もちろん、僕に同時代を代表して発言する資格なんかないのですが、その頃の政治のことについて、僕の同世代の人たちはわりと口が重いんです。その中にあって「何を訊いても機嫌よくインタビューに応じてくれる古老リスト」みたいなものがメディア業界にはひそかに流布されていて、そのリストの上のほうに僕の名前が書いてあるんじゃないかという気がします。

この本に収録されているのはだいたいが時事的なトピックについての僕の私見ですけれども、「同時代人のコモンセンス」とはほど遠いものではないかという気がします。きっと読者も「へえ、そうなんだ。昔の人は同じものを見ても、ずいぶん違う感想を持つんだなあ」という意外性を求めて僕の本を手に取っているんじゃないでしょうか。

僕が子どもの頃に『時事放談』というテレビ番組が日曜朝にありました（山下達郎さんと大瀧詠一さんが20年以上にわたってラジオで続けていた『新春放談』はそのパロディなんです）。僕が観ていたのは小汀《おばま》利得さんと細川隆元さんのお二人がやっていた時です（ビートルズを「乞食芸人」と呼んで、「日本武道館なんか貸すな、夢の島でやれ」という発言で大炎上した頃のことです）。僕は中学生で、もちろんビートルズの大ファンでしたけれど、番組を見て、げらげら笑っていました。「お爺《じい》さんたちって、ほんとに世界の見え方が違うんだな」と思ったのです。

でも、それから半世紀以上経っても、この番組のことはずっと覚えているんです（山下達郎さんたちも）。それはこのような「世界の見え方が違うお爺さん」たちの言葉のうちに、何か少年の心に刺さるものがあったからだと思います。

僕の物書きとしての立ち位置も、たぶんぼちぼち「時事放談」的なところに収まりつつあるのではないかという気がします。時事的なトピックを扱うけれども、切り取り方がまったく「現代的」ではない、という。別にそんなことを意図しなくても、気がついたら同時代から「浮いて」しまっている。だって、先ほどからいくつか事例を引きましたけれど（『木枯らし紋次郎』から『時事放談』まで）、若い読者はどれ一つとして知らないでしょう？　読者に何かを説明しようとして具体的な「喩《たと》え」を探してきても、そのほとんどが「誰も知らない話」になる。これがどうも現在における僕の物書きとしてのきわだった個性ではないか、そんな気がしてきました。それならそれで、肚《はら》をくくって、「古老の語り」に徹しようじゃないか。

この本と同時期に並行して、やはり新聞や雑誌に寄稿した短文を集めたコンピレーション本を作りました。そちらは『凱風館日乗』というタイトルにしました（永井荷風先生の『断腸亭日乗』を借用いたしました）。古老の語りですから、それくらい古臭いほうがつきづきしいのではないかと思いまして。

さて、本題に戻って、タイトルの条件ですけれど、一番大切なのは「覚えやすい」ということですね。本屋に行って探す時にタイトルを思い出せないと困ります。昔、どういうタイトルが覚えやすいか考えた結果、「五七調」が覚えやすいのではないかと思い至りました。『ひとりでは生きられないのも芸のうち』とか『私家版・ユダヤ文化論』とか『村上春樹にご用心』とか、実は五七調なんです。

あと、書店員さんに訊く時に、あまり言いにくいタイトルは困ります。昔、林真理子さんの『花より結婚きびダンゴ』という本が出た時に書店に買いに行ったんですけれど、周りにお客さんがいて、書店員さんに向かってなかなかそのタイトルが言い出せなかったことがありました（ちゃんと買えましたけど）。

もちろん本の内容を一言で言い表しているようなタイトルでなければなりません。でも、タイトルを見ただけで中身の想像がついてしまっては、それはそれで困る。謎めいていたほうがいい。中沢新一さんの『チベットのモーツァルト』なんて、インパクトありましたよね。どんな中身か想像もつかないから。トルーマン・カポーティの『ティファニーで朝食を』もそうですね。どうやってティファニーで朝ご飯を食べられるのか……つい考え込んでしまう。矢作俊彦さんの『マイク・ハマーへ伝言』も素敵なタイトルでしたね。誰がどうやってマイク・ハマーに伝言を伝えるんでしょう。高橋源一郎さんの『ジョン・レノン対火星人』もすばらしいタイトルですね。いったい、ジョン・レノンと火星人は何で対決するのか。囲碁かじゃんけんかにらめっこか……想像もつきません。やはりタイトルは「アイ・キャッチング」であり、かつミステリアスでなければならない。

難しい条件ですが、これでだいたいタイトルの条件は揃いました。あとは思いつくだけです。こういうのはぱっと頭に浮かんだのがいいのです。

はい、決まりました。『だからあれほど言ったのに』です。

とりあえず五七調という条件はクリアしました。どういう意味ですかとか、そういう硬いことは訊かないでください。「なるほど、そうですか」と静かに笑って受け入れてください。

では、「あとがき」でまたお会いしましょう。

だからあれほど言ったのに◎目次

まえがき 2

第1部 不自由な国への警告

第1章 令和時代の不自由な現実

「大人」が消えている――日本の危機 20
アメリカの顔色をうかがう日本政府の悲哀 24
属国の身分を利用するか、そこから逃げ出すか 29
食文化は「経済」ではなく「安全保障」 32
「ダメな組織」の共通項 35
「生産性の高い社会」の排他性 47

「貧乏」と「貧乏くささ」の違い　50
「貧しく、不自由で、生きづらい国」をどう立て直すか　57

第2章　人口減少国家の近未来

人口減少は〝病〟ではない!?　66
マルサスの『人口論』と日本の人口減　71
「都市集中」か「地方分散」か　75
「21世紀の囲い込み」をめざす、現代の資本主義　80
「シンガポール化」という都市一極集中　84
「人間性」を守る、地方移住者たちの戦い　89
強者のイデオロギーに屈するな　92

第3章　社会問題に相対する構え

「加速主義」で明るい未来が開けるか　96
破壊的なポスト資本主義　100
憲法の「主体」とは誰か　103
原爆に対する米国民の罪責感　106
ウクライナ停戦の条件　109
国際社会の「暴力」について　113
「境界線」を固定化してはならない　119

第2部 自由に生きるための心得

第4章 他者の思想から考える「自由さ」と「不自由さ」

60年来の友との不思議な関係 128
人生は「問題解決のため」にあるわけではない 131
「愛する」ことより「傷つけないこと」 141
ほんとうの意味での自立とは？ 146
わからないことはどんどん訊いたほうがいい 156

第5章 「この世ならざるもの」の存在を知る

身体は力の「淵源」ではなく「通り道」 164
村上春樹が描く「この世ならざるもの」 168
学校は「格付け」するところではない 176
「ゲノッセンシャフト」としての凱風館 182
現実世界で生きていくための四つのピラー 191
自然と文明社会の「境界線」を守る 197
「超越的なもの」に対して敬意を持つ 200

第6章　「書物」という自由な世界と「知性」について

「思い上がりを叱る」という仕掛け　206
学ぶというのは「別人になること」である　212
採算度外視で書物を守る人たち　221
新語は「母語」でしか作れない　226
本を読むことで「先入観」を手放す　233
あとがき　240

第1部

不自由な国への警告

第1章

令和時代の不自由な現実

「大人」が消えている——日本の危機

日本社会から「大人」が消えつつある。

「大人」をどう定義するかは難しい問題であるが、私の個人的な定義でいえば、大人というのは「子どもたちの知性的・感情的な成熟を支援できる人」のことである。つまり、結果的に「大人」を創り出してくれるのが「大人」だということだ。なんだか、同語反復みたいだけれど。

「大人」というのは、個人単体についての属性のことではなく、集団的な結果を検証して、「あの人は大人だった」と事後的・回顧的に確定される。子どもたちの知性的・感情的な成熟を支援した人が「大人」なのだ。

いくら年を取っていても、社会的地位があっても、物知りでも、その人がいるせいで周りの人たちの成熟が阻害されるなら、その人は「大人」としての役割を果たしていないので、私の定義では「子ども」である。

「大人はかくあるべし」とか「大人の流儀」とか、そういうことを小うるさく言う人がいるが、そういう人の周りにきちんとした大人はあまりいないように思う。なぜなら、「なるほど、そういうふうにすれば〝大人〟になれるのか」と信じ込んだら、それはその人を幼児的な段階に押しとどめることになるからだ。


複雑な現実を一刀両断に、シンプルな「物語」のうちに落とし込んで説明してしまう「賢い人」がいるとして、その人は「大人」か。

私は違うと思う。その人個人を取り出すと、たしかに知識もあるし、業績も立派だし、弁も立つかもしれないが、その人が複雑な現実を単純化したせいで周りの人たちが思考停止に陥ってしまい、知的成熟の機会を奪われたとしたら、それは「大人」の業績にはカウントされない。

私が「今の日本社会には大人がいなくなった」と思っているのは、「その人がいるおかげで、周りの人たちの知性が活性化し、感情が豊かになり、ものの考え方が深まるような人」がいなければならないということについての国民的合意がないという現実を指す。今の日本では、誰もそんな人を求めていないのだ。

反対に、求められているのは「その人がいるせいで、周りの人たちが思考停止して、幼稚な感情に居着いて、定型的な言葉しか吐かなくなる」人である。そういう人のことを「大人」だと思っている。なにしろ、自分たちの知的負荷を軽減してくれるのだから、ありがたい存在ではある。

でも、そういう人たちが複雑な現実を単純化してくれても、実際の現実はそれによって変わるわけではない。現実は相変わらず複雑なままだから、「複雑な現実」と頭の中でこしらえた「シンプルな物語」の間の乖離《かいり》がただ広がるだけだ。結果的に世の中はますますごちゃごちゃになってしまう。

それよりは「複雑な現実は、これこれこのように複雑なのであって、簡単な話には還元できない」というふうに、にべもなく記述してくれる人のほうがずっと教育的であろう。

その人の話を聴いているうちに、「ああ、世の中は難しいものだ」としみじみ思うようになって、「ぼやぼやしておれん」と腰が浮く……というような遂行的な効果をもたらす人が「大人」である。

アメリカの顔色をうかがう日本政府の悲哀

ある媒体からインタビューのオファーがあった。岸田文雄政権の新年度予算成立を受けて、「なぜ岸田政権はこれほど性急に防衛予算の拡大に進むのか」について訊かれたので、次のように答えた。

《今回の防衛費増額の背景にあるのは岸田政権の支持基盤の弱さだと思う。彼にとって喫緊の課題は二つだけである。一つは国内の自民党の鉄板の支持層の期待を裏切らないこと。一つはアメリカに徹底的に追随すること。日本の将来についての自前のビジョンは彼にはない。

今回の防衛予算や防衛費をGDP比2％に積み上げるのも、アメリカが北大西洋条約機構（NATO）に求める水準に足並みをそろえるためであって、日本の発意ではない。日本が自国の安全保障戦略について熟慮して、必要経費を積算した結果、「この数字しかない」と言ってでてきた数字ではない。アメリカから言われた数字をそのまま腹話術の人形のように繰り返しているだけである。

国民がこの大きな増額にそれほど違和感を覚えないで、ぼんやり傍観しているのは、安全保障戦略について考えるのは日本人の仕事ではないと思っているからである。

安全保障戦略はアメリカが起案する。日本政府はそれを弱々しく押し戻すか、丸呑《の》みする。戦後80年、それしかしてこなかった。

その点では日本政府の態度は戦後80年一貫しており、岸田政権は別に安全保障政策の「大転換」をしたわけではない。政権によってアメリカの要求に従うときの「おもねりかた」の度合いが多少違うだけであり、そこにはアナログ的な変化しかない。だから、国民は誰も驚かないのである》

岸田首相の党内の政権基盤は決して堅牢なものではない。だから、長期政権をめざすなら、アメリカからの「承認」がその政治権力の生命線となる。ホワイトハウスから「アメリカにとって都合のよい統治者」とみなされれば政権の安定が保証されるし、少しでも「アメリカに盾突く」そぶりを示せば、たちまち「次」に取って替わられ、政権は短命に終わる。

岸田政権にはとりわけ実現したい政策があるわけではない。最優先するのは「政権の延命」だけである。たとえて言えば、船長が目的地を知らない船のようなものである。

自公連立政権という「船」を沈めないことだけが目下の急務であり、岩礁や氷山が目の前にきたら必死に舵《かじ》を切って逃げる。だが、どこに向かっているのかは船長自身も知らない。

「国民の声を聴く」とか「個性と多様性を尊重する」とか「新しい資本主義」とか公約を掲げていた時は、首相になれば少しはこのシステムをいじれると思っていたのだろうが、実際に船長になってみたら「お前が動かしてよい舵輪の角度はここからここまで」と言われ、ほとんど政策選択の自由がないことを思い知らされたのだ。

防衛予算の積み上げも、まずアメリカからの要求があり、それに合うように予算が組まれ、さらにその予算枠に合うように「中国や北朝鮮の脅威」なる「現実」が想定されている。

ふつうの国なら、まず現実認識があり、それに基づいて国防戦略が立てられ、それに基づいて必要経費が計上されるのだが、今の日本はみごとにそれが逆立しているのである。

日本政府が購入を決めたトマホークにしても、その前に「爆買い」したF35戦闘機にしても、米国内でははっきりと「使い物にならないほど時代遅れ（レガシー・プログラム）」の兵器とされている。

中国との競争において、アメリカはAI軍拡で後れを取っている。もう大型固定基地や空母や戦闘機の時代ではない。AIに優先的に予算を投じるべきなのである。

しかし、アメリカには軍産複合体という巨大な圧力団体があって、国防戦略に強い影響を及ぼしている。兵器産業にいま大量の在庫が残されている以上、それを処理しなければならない。

だから、それを日本に売りつけるのである。日本に不良在庫を売りつけ、それで浮いた金を軍のヴァージョンアップに投じる。そういう「合理的な」メカニズムである。不良在庫を言い値で買ってくれるのだから、アメリカにしてみたら日本の自公連立政権ほど「使い勝手のよい」政権はない。だから、この政権が半永久的に続いてくれることをアメリカが願うのは当然なのである。

属国の身分を利用するか、そこから逃げ出すか

日本国民は属国の身分にすっかり慣れ切っているので、自国政権の正統性の根拠を第一に「アメリカから承認されていること」だと思い込んでいる。「国民のための政治を行っていること」ではないのだ。

アメリカに気に入られている政権であることが何よりも重要だと国民自身が思い込んでいるので、自公政権がずるずると続いている。

だから、自公政権が防衛増税を進めても、インボイス制度やマイナンバーカードなどで国民の負担を増大させても、国民はデモもストライキもしない。

それは国民自身が「政府というのは、国民の生活のために政策を実施するものではない」という倒錯に慣れ切ってしまっているからである。

「政府はアメリカと国内の鉄板支持層のほうを向いて、彼らの利益を計るために政治

をしている」ということを国民は知っている。そして、「政治というのは、そういうものだ」と諦めている。

問題は「政治はこれからもまったく変わらない」という諦念が広がると、国民の中から「この不出来なシステムを主権国家としてのあるべき姿にどう生き返らせるか」よりも、「この不出来なシステムをどう利用するか」をまず考える人たちが出てくることである。

このシステムにはさまざまな「穴」がある。それを利用すれば、公権力を私的目的に用い、公共財を私財に付け替えることで自己利益を最大化することができる。

今の日本がろくでもない国であることは自分でもよくわかっている。でも、そのろくでもない国のシステムのさまざまな欠陥を利用すれば簡単に自己利益を増すことができる。それなら、システムを復元するよりも、システムの「穴」を利用するほうがいい――。

そして、彼らはシステムを「活用(hack)」する。死にかけた獣に食らいつくハイエナのように。彼らはこの獣がまた甦《よみがえ》って立ち上がることをまったく望んでいない。できるだけ長く死にかけたままでいることが彼らの利益を最大化するからである。

現状では、そういう人たちが政権周りに集まり、メディアで世論を導いている。

一方で、それとは違う考え方をする人たちもいる。このシステムの内側で生きることを止めて、「システムの外」に出ようとする人たちである。

地方移住者や海外移住者はその一つの現れである。彼らもこのシステムを変えることはできないと諦めている。そして、システムの外に「逃げ出す（run）」ことを選んだのである。

私たちは今、二者択一を迫られている。hack or run。

その選択が令和日本の、特に若者に突きつけられているのだ。そして、ここには「システムの内側に踏みとどまって、システムをよりよきものに補正する」という選択肢だけが欠落している。

食文化は「経済」ではなく「安全保障」

『ルポ　食が壊れる　私たちは何を食べさせられるのか？』（文春新書）を出版された堤《つつみ》未果《みか》さんと対談した。食と農を語る言説がビジネスとテクノロジーと国際政治の専門用語で埋め尽くされる現実を活写した怖い本だった。ＧＡＦＡＭやアグリビジネスはすでにこの分野に深く広く参入している。

ビル・ゲイツがこれまでに買い占めた農地が香港と同面積と聞けば、農業が資本主義にとっての次の「ブルーオーシャン」らしいことは知れる。だが、食と農が命にかかわる大事である以上、それは決して市場に従属すべきではない。

食文化の基本は「飢餓の回避」である。だから、人類は「主食をずらす」という工夫をしてきた。米、小麦、イモ、豆、トウモロコシ……などなど。環境に強いられた選択であると同時に、それは安全保障でもあったのだ。

主食が同じなら欲望が同一物に集中する。不作になれば奪い合いがはじまる。主食が集団ごとに違っていれば、とりあえず希少性に起因する戦いは抑制できる。病虫害などである主食植物が絶滅しても、違う植物を主食とする集団は生き延びて、人類全体としてはリスクヘッジできる。

多くの集団では、主食の穀物の上に発酵させた調味料をかける。それはしばしば他の集団の人には「腐臭」としか思われない異臭を放つ。他人に「あんな腐敗したものは食べられない」と思わせることが食の確保のためには最も効果的だからである。

何より食文化は「不可食物の可食化」の努力の結晶である。焼く、煮る、干す、蒸す、さらす、燻《いぶ》す……無数の調理法を試みて、人類は手が届く限りの自然物を可食化しようとしてきた。その発明の才が人類のここまでの繁殖をもたらしたのである。

だが、食をビジネスの枠組みで考えた場合には、全員が同一のレシピで調理された、同一の食物を食べ続けるときに製造コストは最小化し、企業利益は最大化する。

だから、企業に食と農を委ねた場合、企業は必ず地上の80億人の食文化を平準化することをめざす。単一作物を大規模栽培し、似たような食物を人類的な規模で消費することを願うようになる。

そしておそらく不可食物の可食化は、調理法の工夫によってよりはむしろ遺伝子操作で達成しようとするだろう。それはいずれも人類の飢餓耐性が弱まることを意味している。

だが、食と農をビジネスの言葉で語る人たちは誰もそのことに言及しない。それが恐ろしいという話を堤さんとした。

「ダメな組織」の共通項

ウスビ・サコ先生との対談を中心にまとめた『君たちのための自由論——ゲリラ的な学びのすすめ』（中央公論新社）という本を出版した。サコ先生は日本ではじめての「アフリカ出身のムスリムの学長」である。

多様な出自の人々を同胞として迎える心構えにおいて日本社会はまだまだ十分な成熟に達していないと私は思うが、それでもサコ先生のような人が登場してきたこと、サコ先生の言葉に耳を傾ける人がしだいに増えてきたことは、日本の未来について私を少しだけ楽観的な気持ちにさせてくれる。

私が日本の未来について「楽観的になる」ということはほとんどないが、サコ先生は私にその「ほとんどない」経験をさせてくれる稀有《けう》の人なのである。

この共著の中で、私たちは主に日本の学校教育について論じている。それは学校教育が私たち二人の「現場」だからである。

私はもう定期的に教壇に立つということはなくなったのだが、今でもいくつかの大学に理事や客員教授としてかかわっているので、大学で「いま何が起きているのか」はある程度わかっている。そして大学に関して言えば、楽観的になれる材料はほとんどない。

大学教育は制度としてはどんどん劣化しているし、研究教育のアウトカムはどんどん低下している。それも加速度的に。

その原因は「教育研究を中枢的に統御し、管理しようとする欲望」がもたらしたものである。「諸悪の根源」というような激しい言葉をあまり使いたくないが、「統御し、管理しようとする欲望」が今の学校教育の荒廃の主因であることは間違いない。

だが、不思議な話ではあるが、「統御し、管理しようとする欲望」は「秩序」をもたらし、「効率」や「生産性」を向上させることをめざしているはずである。しかし、それがまったく逆の結果を生み出してしまった。なぜだろうか。

それは「創造」と「管理」ということが原理的には相容《あいい》れないものだからである。「管理」がどういうものであるかはほとんどの人が知っているが、「創造」がどういうものであるかを知っている人はそれに比べるとはるかに少ない。

日本社会では「管理」したがる人の前にキャリアパスが開かれている。彼らは統治機構の上層に上り詰め、政策決定に関与することができる。だが、「創造」に熱中している人はシステム内での出世にはたいてい興味がないので、創造的な人が政策決定に関与する回路はほぼ存在しない。

だから、資源分配の決定を「管理が好きな人たち＝創造とは何かを知らない人たち」が下す限り、その集団が創造的なものになるチャンスはまずない。したがって、自分の出世しか興味がない会社員が組織マネジメントを委ねられると、組織はどんどん息苦しく、みすぼらしいものになる。

というのは、「管理」が大好きな人たちはあらゆる仕事に先立って「まず上下関係を確認する」ところからはじめるからだ。「ここでは誰がボスなのか」「誰が命令し、誰が従うのか」「誰には敬語を使い、誰にはタメ口でいいのか」「誰には罵倒や叱責を通じて屈辱感を与えることが許されるのか」ということをまず確認しようとする。彼らはまずそれを確認しないと仕事が始められないのだ。

この集団はそもそも何のためにあるのか、いかなる「よきもの」を創り出すために立ち上げられたのか、メンバーたちはそれぞれどういう能力や希望があるのかということには副次的な関心しかない（それさえない場合もある）。関心があるのは「上下」なのである。

だから、日本の組織においては、上司が部下に対して最初にするのは「仕事を指示すること」ではなくて、「マウンティングすること」である。目下の人間にまず屈辱感を味わわせて、「この人には逆らえない」と思い知らせることがあらゆる業務に優先する。そんな集団が効率的に機能するだろうか。

朝の会議で上司が部下に「発破《はっぱ》をかける」ということが日本の会社ではよく行われるが、あれは今日する仕事の手順を確認しているわけではない。誰が「叱責する人間」で、誰が「黙ってうなだれる人間」かを確認する儀礼だ。そんなことを何時間やっても、仕事は1ミリも先に進まないのに。

だが、管理が好きな人たちは、その因果関係が理解できない。しっかり管理しているはずなのに、トップダウンですべての指示が末端まで示達されているはずなのに、なぜか組織のパフォーマンスはどんどん下がる。

なぜ、仕事がうまくゆかないのか。そう問われると、彼らは反射的に「管理が足りないからだ」と考える。「叱り方が足りないからだ」「屈辱感の与え方が足りないからだ」と考える。そして、さらに管理を強化し、組織を上意下達的なものにし、査定を厳格にし、成果を出せない者への処罰を過酷なものにする。

もちろん、そんなことをすればするほど組織のパフォーマンスはさらに低下するだけだが、その時も対策としては「さらに管理を強化する」ことしか思いつかない。

軍隊には「督戦隊《とくせん》」というものがある。前線で戦況が不利になった時に逃げ出してくる兵士たちに銃を向けて「前線に戻って戦い続けろ。さもないと撃ち殺す」と脅すのが仕事だ。軍隊の指揮系統を保つためには必要なものかもしれないが、もし「半分以上が督戦隊で、前線で戦っているのは半分以下」という軍隊があったとしたら「管理は行き届いているが、すごく弱い軍隊」だということは誰にでもわかるだろう。

今の日本の「ダメな組織」は、この「督戦隊が多すぎて、戦う兵士が手薄になった軍隊」によく似ている。学校現場もそうである。

教育行政が発令した政策はこの四半世紀ほぼすべてが失敗した。だが、それを文科省も自治体の首長も教育委員会も自分たちのミスだとは認めなかった。すべて「現場のせいだ」ということになった。

指示した政策は正しかったが、現場の教員たちが無能であったり、反抗的であったりして、政策の実現を阻んだので、成果が上がらなかった。そういうエクスキューズにしがみついた。

そこから導かれる結論は当然ながら「さらに管理を強化して、現場の教員たちに決定権・裁量権をできるだけ持たせない」というものになる。

そうやって次々制度をいじっては、教師を冷遇し、査定し、格付けし、学長や理事長に全権を集中させ、職員会議からも教授会からも権限を剝奪した。こうすれば「現場の抵抗」はなくなり、教育政策は成功するはずだった。だが、やはり何の成果も上がらなかった。

この失敗も「現場が無能だからだ。現場が反抗的だからだ。もっと管理を強化しろ」と総括された。そして、学校現場における「督戦隊」的要素だけがひたすら膨れ上がり、「前線で戦う兵士」の数はどんどん減少し、疲弊していった……というのが日本の現状である。

現在の学校教育現場で、最も深刻な問題は「教師のなり手がいない」ということだ。毎年、教員採用試験の受験者が減っている。さらに倍率が低いので、新卒教員の学力が低下し、社会経験が乏しいせいでうまく学級をグリップできない教員が増えている。それを苦にして病欠したり、離職したりする教員も多い。

これまで教員たちから権利を奪い、冷遇し、ことあるごとに屈辱感を与えてきたわけだから、こんなことは当然予測された結果のはずだ。だが、おそらく文科省も自治体の首長も決してそれを認めないだろう。

繰り返すが、「管理」と「創造」は相性が悪い。

創造というのは「ランダム」と「選択」が独特のブレンドでまじりあったプロセスである。平たく言えば「いきあたりばったり」でやっているように見えるが、実は「何かに導かれて動いている」プロセスのことだ。

やっていることは見た目には「いきあたりばったり」だから、「管理」する側から「何をやっているんだ」と問い詰められてもうまく答えられない。やっている当人は自分がある目的地に向かって着実に進んでいることは直感されるが、それが「どういう目的地」なのか、全行程のどのあたりまで来たのかは、自分でもうまく言葉にできない。「このまま行けば、『すごいこと』になりそうな気がします」くらいしか言えない。そういうものだ。

完成品が何か、納期はいつか、それはどのような現世的利益をもたらすのかについて答えられないというのが「ものを創っている」時の実感である。

「創造」は科学や芸術に限られたものではない。

例えば、食文化というのは本質的にきわめて「創造的なプロセス」だと私は思う。食文化の目標は何よりもまず「飢餓を回避すること」である。だから、「不可食物」の「可食化」がその主な活動になる。実際に人類は実に多様な工夫をしてきた。焼く、煮る、蒸す、燻《いぶ》す、水にさらす、日に干す、発酵させる……などなど。

それまで不可食だと思われていた素材を使って最初に美味しい料理を創った人は人類に偉大な貢献を果たしたわけだが、こういう人たちはそれまで知られていたすべての調理法を試したわけではないと思う。よけいな迂回をしないで、割と一本道で目的地にたどりついたのではないか。

じっと食材を見ているうちにその人の脳裏に「これを食べられるものにするプロセス」がふと浮かんだ。まったく独創的な、これまで誰もしたことのない調理法を思いついた。試してみたら、いささか試行錯誤はあったけれど、「美味しいもの」ができた。

このプロセスはまったくの偶然に支配されていたわけではないと私は思う。創造的な調理人は「なんとなく、こうすれば、これを美味しく食べられるようになるのでは？」という「当たり」をつけてから始めたはずである。だが、どうしてその「当たり」がついたのかは本人もうまく説明できない。「なんとなく、そうすればできそうな気がした」というだけで。

「だいたいの当たりをつけてから、そこに向かう」プロセスのことを「ストカスティック（stochastic）な」プロセスと呼ぶ。ギリシャ語の「的をめがけて射る」という動詞から派生した言葉である。創造というのは「ストカスティックなプロセス」であるというのは多くの創造的科学者たちが言っていることだ。

フランスの数学者アンリ・ポワンカレによれば、数学的創造というのはそれまで知られていた数学的事実のうちから「これとあれを組み合わせたらどうなるかな」という組み合わせをふと思いつくということだそうだ。その場合の「これ」と「あれ」はいずれも「長い間知られてはいたが、たがいに無関係であると考えられていた」事実である。誰も思いつかなかったその結びつきにふと気づいた者が創造者になる。

創造的な調理人もそうだと思う。これまで不可食とされていた植物や動物は目の前にランダムに散乱している。調理法も経験的に有効なものがいくつかが知られている。

ある日、ある調理人が「長い間知られていたが、たがいに無関係であると考えられていた」ある不可食物とある調理法の組み合わせを思いついた。それが新しい料理の発明につながり、人類を飢餓から救うためにいくらかの貢献を果たした。たぶん、そういうことだと思う。

創造というのは「外からはまるでいきあたりばったりのように見えたが、ことが終わってから事後的に回顧するとまるで一本の矢が的を射抜くように必然的な行程をたどっていたことがわかる」というプロセスだ。だから、「ストカスティック」なのである。

多くの創造的な人たちは、学者でもアーティストでも、自分たちの創造の経験を似たような言葉で語るのではないかと思う。

こう説明するとわかると思うが、これはまったく「管理」になじまないプロセスである。

ウスビ・サコ先生や私の関心は、どうやってもう一度「創造」を活性化するかということだ。それについて二人ともずいぶん真剣に考えてきたし、いろいろ「実験」もしてきた。

その時点では成算があったわけではないし、どういう効果が期待できるかもわからなかった。なんとなく「これは『当たり』じゃないかな」という気がしただけである。でも、サコ先生も私もその直感を信じた。

サコ先生も私も「管理する側」から見たら、とても手に負えない人たちだと思う。だが、それは私たちがただ反抗的であるとか、反権力的であるとかいうことではなく、「創造」ということに強いこだわりを持っているからである。

「生産性の高い社会」の排他性

若い経済学者が〝高齢化〟について「唯一の解決策ははっきりしている」として、「高齢者の集団自決」を提言したことが話題となった。

「人間は引き際が重要だと思う」ということも、「過去の功績を使って居座り続ける人がいろいろなレイヤーで多過ぎる」ということも事実の摘示としては間違っていない。だが、この人が「解決」と呼んでいるものは、やってもたぶん「解決」にはならないと思う。

似たようなロジックで、かつてナチス・ドイツは「ユダヤ人問題の最終的解決」を企てた。問題そのものをなくすことで問題が解決できると信じて「ホロコースト」を始めたのである。

しかし、いくらユダヤ人を犠牲にしてもドイツの国運は向上しなかった。やむなく、

「チャーチルもルーズベルトもスターリンも世界ユダヤ政府の走狗《そうく》だ」と「ユダヤ人＝悪」の概念を拡大解釈することでドイツ国内外の問題が解決しない理由を説明しようとした。それでも戦況はさらに悪化するばかりだった。最後は「政権の中枢にユダヤのエージェントがいて、政策を失敗に導いている」と言い出す者さえ出てきてナチス・ドイツは滅びた。

おそらく、この経済学者やそれに賛同する人たちもいずれ同じことを言い出すような気がする。

「誤解している人が多いが、『高齢者』というのは生物学的概念ではなく、社会的概念である。つまり、私たちは日本をダメにしている人たちのことを年齢とは無関係に比喩的に『高齢者』と呼んだのだ」と、「高齢者＝悪」の概念の拡大を図るのである。

だが、仮にそうやって「無能な人間」たちを社会から組織的に排除し、発言権を認めず、行政コストもかけない仕組みを作ったとしても、やはり日本の国運の衰退は止まらないだろう。

そうなると、次には「無能者の排除」を声高に主張している人たち自身のうちに「隠れ無能者」がいて、社会の停滞を引き起こしているのだと言い出す人が出てくるはずだ。

しかし、「社会的に有害無益なメンバー」の摘発と排除にどれほど資源を投じてもそれは価値を創り出すことにはならない。

社是に「フリーライダーをゼロにすること」を掲げ、全社員がひたすら「働きのないやつ」の摘発と排除業務に励んでいる会社は遠からず売り上げがゼロになるのと同じことである。

「貧乏」と「貧乏くささ」の違い

これまでずいぶん長く生きてきたが、日本の国力がこれほど低下した時期はなかった。パンデミック、異常気象、ロシア・ウクライナ戦争……地球的規模での大きな問題が目白押しのところに、国内では、政治とメディアの劣化がとめどなく進行し、経済は衰退局面を転がり落ち、国民生活の最後の支えである教育と医療も気息奄々というありさまである。どこにも希望が見られない。

それでも気を取り直して、よくよく見れば、日本の国力にはまだまだ余力がある。列島には豊かな山河がある。温帯モンスーンの温和な気候と肥沃な土壌と豊かな水資源に恵まれ、植物相・動物相は多様で、温泉や桜や紅葉の名所や神社仏閣のような観光資源はいたるところにあり、食文化もエンターテインメントも伝統芸能も世界標準を超えるものがいくつもある。「国力そのもの」には十分な厚みがある。

これを国民みんなが大切に使い延ばし、守り育ててゆけば、あと百年くらいは「豊かで暮らしやすい国」として存続させることは難しいことではない。

しかしまことに不思議なことだが、そういう穏やかな未来図を描く人は政官財にはいない。メディアにもいないし、学術の世界でもまず見かけない。見かけるのは目を血走らせて「起死回生の大博打」を狙っている人たちばかりである。

防衛費を倍増させて、「いつでも戦争ができる国」にしようと鼻息の荒い政治家がおり、五輪だ、万博だ、カジノだ、リニア新幹線だと「これに成功すれば、経済波及効果は何兆円」というような「取らぬ狸の皮算用」に夢中になっている企業人や官僚がおり、「生産性のない者は生きている価値がない」と揚言する学者やコメンテイターがいる。

そして、一方には、低賃金に喘《あえ》ぎ、ブルシットジョブで疲れ切り、ハラスメントでメンタルを壊されて、暗い顔をして職場に通う労働者がいる。

「豊かなはずの国」で、なぜ人々はこんなにも「貧乏くさい」のだろうか。

「貧乏」と「貧乏くさい」は違う。まずそのことを明らかにしておきたい。

貧乏というのはクールでリアルな経済状態のことである。精神状態とは直接にはかかわりがない。だから、貧乏でも心豊かに暮らすことはできる。

私が子どもの頃の、関川夏央が「共和的な貧しさ」と呼んだ1950年代の日本社会はそうだった。長い戦争が終わり、もう徴兵されることも空襲を逃げ回ることもなくなり、憲兵や特高や隣組に怯《おび》えることもなくなった社会で、大人たちは貧しいけれども、心安らかに日々の生業に励んでいた。家はあばら家で、服は着たきりで、ご飯はおかず一品だけで、遊び道具も何もなかったけれど、私にとってはまことに愉快な子ども時代だった。

近所の人たちもみな貧しく、それゆえ助け合って暮らしていた。食べ物を貸し借りし、質屋の使い方を教え合い、小さい子どもを預かり合った。まだ行政が十分に機能していなかったから、防犯も防災も公衆衛生も、町内で協力して何とかするしかなかった。冬の夜は大人たちが「火の用心」と言いながら、町内を巡回し、日曜の朝は総出で「どぶさらい」をした。子どもたちはさまざまな工夫を凝らして遊びを発明して、日が暮れるまで路地や神社の境内で時を忘れて遊び続けた。貧乏だったけれど、子どもも時代の私はまったく不幸ではなかった。

それでも、時々は玩具であったりお菓子であったり、何か買ってほしいものがある。母親に「買って」と一応言ってはみるが、いつも「ダメ」と即答された。「どうして？」と訊くといつも「うちは貧乏だから」という答えが返って来た。「どうして貧乏なの？」と重ねて訊くと「戦争に敗けたから」で対話は終わった。それ以上は訊いても仕方がないことは子どもにもわかった。

1950年代、60年代の日本人は「貧乏」だったけれど、「貧乏くさく」はなかったのだ。

しかし、ある時期から日本人は「貧乏くさく」なった。「貧乏くさい」というのは経済状態のことではなくて、心の貧しさのことである。他人の富裕を羨むのもそうだし、自分のわずかばかりの財産をしっかり退蔵して、誰とも分かち合わないのもそうだ。

何よりも「公共財」として国民が共有する富から自分の「割り前」をできるだけ多めに切り取ろうとするふるまいが最も「貧乏くさい」。

皮肉なことだが、1964年の東京オリンピックの頃から庶民の生活が豊かになるにつれて、人々はしだいに「貧乏くさく」なった。

他人より早く高度経済成長の恩沢に与《あずか》り、冷蔵庫やテレビや自家用車を所有するようになった家はしばしば家の周りにブロック塀をめぐらせた。無意識のことだったのだろうけれど、近所の人の「嫉妬のまなざし」「邪眼」を遮ろうとしたのだ。

それまで簡単に出入りしていた近所の家の大人たちが微妙に迷惑顔をするようになった。米やおかずの貸し借りもしなくなった。そして、郊外にもっとましな家を建てられるようになった人から順に町内を脱出して、「貧しい共和政」はわりとあっけなく消滅した。

小銭ができると人は「貧乏くさく」なり、相互扶助的なマインドが消え去り、共同体は空洞化するということを私はその時に学んだ。

私が10代、20代の頃は高度成長が長く続き、30代にはバブル経済を経験した。みんなが金儲けに夢中になっていた時代であり、日本人が主観的には世界一リッチだった時代である。

日本人はマンハッタンの摩天楼を買い、ハリウッド映画を買い、フランスのシャトーを買い、イタリアのワイナリーを買い、ハワイのコンドミアムを買い、ゴールドコーストやコスタ・デル・ソルにリタイアした富裕層のため別荘地を買った。値札がついているものなら何でも買えると思って、人々は多幸感に浸っていた。

この時の日本人はそれほど「貧乏くさく」はなかった。自分自身の「パイ」が増大し続けている時には、他人のパイの取り分のことはあまり気にならないのだ。欲望は日々亢進《こうしん》していたが、嫉妬や羨望に身を焦がし、富裕な他者の没落を願ったりするというようなことは（あまり）なかった。

私のような何の生産性も社会的有用性もない研究をしている学者のところにも、ずいぶん潤沢に研究費が回って来た。不動産や株の売り買いで忙しい投資に明るい友人たちは、給料だけで慎ましく暮らしている私を見て、「金の稼ぎ方を知らないやつだ」

と嘲笑してはいたけれど、「まあ、好きなことしていればいいさ。こちらの金儲けの邪魔にはならないんだから」と放っておいてくれた。

しかし、そんな気楽な時代も不意に終わった。自分のパイの取り分が減り出すと、急に人々は貧乏くさくなり、他人の取り分についてあれこれ言い出した。「働きもないのに取り過ぎているやつがいる。社会的有用性に基づいて、資源は傾斜配分されるべきだ」と。そういう理屈をこねながら日本人はどんどん貧乏くさくなっていった。「公務員の既得権益を剝がせ」とか、「生活保護のフリーライダーを許すな」とか、「生産性のない人間は去れ」とかいう言葉づかいは、私の記憶する限りこの時期にはじめて登場したものである。それまでは聞いたことがなかった。

「貧しく、不自由で、生きづらい国」をどう立て直すか

21世紀に入って四半世紀近く経つ。今の若い人に「日本は豊かな国ですか？　貧しい国ですか？」と訊《たず》ねたら、たぶん半数以上が「貧しい国です」と答えるだろう。GDPはかろうじて世界3位だが、一人当たりGDPは28位（2021年）。シンガポール、香港の後塵《こうじん》を拝しており、韓国・台湾に抜かれるのは時間の問題である。軍事力だけが例外的に突出して高いが、それ以外の「国力指標」は全面的に下がり続けている。

平均給与はOECD38か国中22位、ジェンダーギャップ指数は146か国中116位、報道の自由度ランキングは180か国中71位。貧しく、不自由で、生きづらい国なのだ。

数年前にアメリカの雑誌が日本の大学の衰退について特集を組んだことがあった。

その記事の中で、今の日本の大学をどう思うか、教員学生にインタビューをした時に、彼らが実情を叙した時に用いたのは、「罠にはまった」(trapped)、「息苦しい」(suffocating)、「身動きできない」(stuck)というい ずれも身体的な苦しみを表す形容詞だった。たぶんこれは今の日本社会を生きている多くの人たちに共通する実感なのだろうと思った。

現代日本の際立った特徴は、富裕層に属する人たちほど「貧乏くさい」ということである。富裕層に属し、権力の近くにいる人たちは、それをもっぱら「公共財を切り取って私有財産に付け替える権利」「公権力を私用に流用する権利」を付与されたことだと解釈している。公的な事業に投じるべき税金を「中抜き」して、公金を私物化することに官民あげてこれほど熱心になったことは私の知る限り過去にない。

税金を集め、その使い道を決める人たちが、公金を私財に付け替えることを「本務」としているさまを形容するのに「貧乏くさい」という言葉以上に適切なものはあるまい。

今の日本では「社会的上昇を遂げる」ということが「より貧乏くさくなること」を意味するのである。いや、ほんとうにそうなのだ。

現代日本の辞書では、「権力者」というのは「公権力を私用に使い、公共財を私物化できる人」のこととなる。そういう身分になることを目標にして、人々が日々額に汗して努力している以上、国があげて「貧乏くさく」なるのも当然であろう。

私はもうこの貧乏くささにうんざりしている。貧しくてもいい。「貧乏くさくない社会」に暮らしたい。

それでは、どういう社会が「貧乏くさく」ないのか。

私が敗戦後の日本で見聞した「共和的な町内」はそうだった。他人の富裕を羨まない、弱者を見捨てない、私財を退蔵せずに分かち合う、公共財ができるだけ豊かになるように努力する。言ってみればそれだけのことである。

現に大人たちがそのようにふるまい、それが「ふつう」なのだと子どもたちが思うなら、その社会は、たとえ物質的に貧しくても、「貧乏くさく」はない。私はできるならそのような社会に暮らしたい。

「公共財」を英語では「コモン（common）」という。原義は「入会地・共有地」のことである。囲いのない森や草原で、村落共同体が共有し、共同管理する。村人はそこで家畜を放牧したり、魚を釣ったり、鳥獣を狩ったり、果樹を摘んだりする。個人の私財が乏しい村人でも、豊かなコモンを持つ共同体に属していれば、豊かな生活を送ることができる。

ヨーロッパでは中世からどの国でも「コモン」に類するものがあった。代表的なのはフランスの「コミューン（commune）」で、これはカトリックの教区が基本となる行政単位である。

構成員100名くらいの小さなコミューンからマルセイユのような構成員100万人というサイズのコミューンまでさまざまなものがあるが、どれも行政単位としてのステイタスは等しい。コミューンの中心には教会があり、広場をはさんでその向かいには市庁舎があり、市議会が開かれ、市長が選ばれる。

ドイツには古代から中世まで「マルク協同体（Markgenossenschaft）」というものがあった。

土地は部族共同体で共同所有され、生産方式も強く規制されており、土地の売買は禁止され、収穫物は基本的に共同体内で消費され、木材や肉やワインの共同体外への持ち出しも禁止されていた。土地は誰のものでもなく、それゆえ収穫物が誰かの私財になることもなく、その結果、支配―被支配という関係は生じなかった。

晩年のマルクスが、あるべき「コミュニズム（コミューン主義）」社会を思い描いた時に、その構想の素材はゲルマンのマルク協同体にあったと斎藤幸平は論じている（『人新世の「資本論」』集英社新書）。

「豊か」というのは、私財についてではなく、公共財についてのみ用いられる形容詞であるべきだと私は思う。仮にメンバーのうちの誰かが天文学的な富を私有して、豪奢な消費活動をしていても、誰でもがアクセスできる「コモン」が貧弱であるなら、その集団を「豊かな共同体」と呼ぶことはできない。

身分や財産や個人的な能力にかかわらず、メンバーの誰もが等しく「コモン」からの贈り物を享受できること、それが本質的な意味での「豊かさ」ということだ。マルクスはそう考えていたし、私もそう考える。私財の増大よりも、メンバー全員を養うことができるほどにコモンが豊かなものになることを優先的に気づかう態度のことを「コミュニズム」と呼ぶのだと私は思う。個人的な定義だから一般性は要求しないが、それでよいはずである。

貧富は個人について言うものではない。共同体について言うものだ。

私たちにとってほんとうに死活的に重要なのは、われわれの社会内にどれほど豊かな個人がいるかではなく、われわれの社会がどれほど豊かな「コモン」を共有しているかである。

ある社会が豊かであるか貧しいかを決定するのは、リソースの絶対量ではない。その集団の所有する富のうちのどれほどが「コモン」として全員に開放されているかである。

この定義に従うなら、日本だけでなく、いまの世界はひどく貧しい。世界で最も裕福な8人の資産総額は世界人口のうち所得の低い半分に当たる37億人の資産総額と等しい。これを「豊かな世界」と呼ぶことに私は同意しない。

しかし、そのことに気づいて、もう一度日本を「豊かな」社会にしようという努力をはじめている人たちがいる。それは別にGDPをどうやって押し上げるかという話ではない。どうやってもう一度「コモン」を豊かにするかということである。

最近、私の周囲でも、私財を投じて「みんなが使える公共の場」を立ち上げている人たちをよく見かけるようになった。

私自身も十年ほど前に自分で神戸に凱風館《がいふうかん》という道場を建てた。武道の稽古だけではなく、能舞台としても使えるように設計してもらったので、畳の上に座卓を並べてゼミをしたり、シンポジウムをしたり、映画の上映会や浪曲、落語、義太夫などの公演もしている。ささやかではあるけれども、これも一つの「コモン」だと私は思っている。

そういうささやかな「コモン」を日本中で多くの人たちが今、同時多発的・自然発生的に手作りしている。そういう人たちの活動は別に聴き耳を立てなくても、自然に耳に入るし、思わぬところで出会う。そして、気がつけばずいぶん広がりのあるネットワークがかたち作られている。

この手作りの「コミュニズム」はかつてのソ連や中国の共産主義と本質的なところでまったく違うものだと思う。というのは、この新しい「コミュニスト」たちは富裕者や社会的強者に向かって「公共のために私財を供出しろ。公共のために私権の制限を受け入れろ」とは強制しないからである。公共をかたち作るためにまず身を削るのは「おまえ」ではないし「やつら」でもない。それは「私」である。

そう思い切ることからしか豊かな社会は生まれない。同意してくれる人はまだ少ないけれど、私はそう確信している。

第2章

人口減少国家の近未来

人口減少は〝病〟ではない!?

ある媒体から「人口減少社会の病弊」という標題で寄稿依頼された。論じてほしいトピックとして「子どもを産み育てる社会的環境がなぜ整備されないのか」「このままではどのような将来が想定されるのか」「解決策はあるのか」が示された。

そういう寄稿依頼を受けておいて申し訳ないが、「人口減」を〝病〟と考えること自体に私は反対である。「反対」というのはちょっと言い過ぎかもしれないので、「懐疑的」くらいにしておく。

若い方はご存じないと思うが、少し前まで「人口問題」というのは、「人口爆発」のことであった。1972年に国際的な研究・提言機関ローマクラブが『成長の限界』という報告書を発表したことがある。このまま人口増加が続けば、100年以内に人類が及ぼす環境負荷によって、地球はそのキャリング・キャパシティの限界に達すると警鐘を鳴らしたのである。

人口を減らすことが人類の喫緊の課題であるということを私はその時に知った。たしかにその頃はどこに行っても人が多過ぎた。高速道路の渋滞に出くわすたびに、「もっと日本の人口が減ればいいのに」と心から思った。


その後、大学教員になってしばらくしたところで教員研修会が開かれた。

そこで「18歳人口がこれから急減するので、本学もそれに備えなければならない」と告げられた。ちょっと待ってほしい。「人口が多過ぎてたいへん」という話をずっと聞かされていたのが、いきなり「人口が減り過ぎてたいへん」と言われてもそんなに急に頭は切り替えられない。

それに納得のゆかない話である。ある年の日本の18歳人口がどれほどであるかは何年も前にわかっていたはずだ。人口動態というのは統計の数字のうちで最も信頼性の高いものの一つである。だったら、「18歳人口がこれから減るので、それに備えなければならない」という話をなぜもっと早くから議論しはじめなかったのか。

ところが調べてみると、どこの大学もそれ以前は「臨時定員増」で、学生定員を増やし、教職員数を増やし、財政規模を大きくしていたのである。

たしかにその時点での18歳人口は増えていたのであるから、それに適切に対処したのかもしれない。けれども、そうしたせいで「18歳人口が減少し始めたら、たいへん困ったことになる体制」をコツコツと作り上げていたのだ。

いったい、当時の大学経営者たちは何を考えていたのであろうか。たぶん「18歳の人口が減って困り始めるのは私が退職した後だし、とりあえず今は『稼げるうちに稼いでおく』ということでいいんじゃない」というくらいの考えだったのだろう。私だって、その時代に大学にいたら同じように考えたかもしれない。「洪水よ、我があとに来たれ」である。

その時に私が学んだのは「人々は人口問題についてあまりまじめに考えないらしい」ということだった。なにしろ「人口問題」の定義自体が「人口増」から「人口減」に変更されたが、それについて誰からも何の説明もなかったからである。

それ以後、私は人口問題について、「周知のとおり」という口ぶりで話を始める人のことは信用しない。だから、「人口減」をいきなり「病弊」として論じるということにも抵抗を覚えてしまう。

そもそも今も人類規模では、人口問題は人口減ではなく人口増のことだ。人類の人口は現在80億。これからもアフリカを中心に増え続け、21世紀末の地球上の人口は100億を超すと予測されている。この予測が正しければ、今から80年、グローバルサウスは引き続き人口爆発による環境汚染や飢餓や医療危機の問題に直面し続けることになる。

つまり、人口問題が専一的に「人口減」を意味するのは、今のところは一部の先進国だけなのだ。

私たちがこの事実から知ることができるのは、人口はつねに多過ぎるか少な過ぎるかどちらかであって、「これが適正」ということがないということである。人口については適正な数値が存在しない。それが人口問題を語る上での前提であろう。

日本の人口として、いったい何人が適正なのか、私が知る限り、その数字を示してくれた人はいないし、ある数字が国民的合意を得たこともない。

果たして、日本列島の「適正な人口数」を知らないままに、人口について「多過ぎる」とか「少な過ぎる」とか論じることは可能なのだろうか。

マルサスの『人口論』と日本の人口減

人口論の基本文献として私たちが利用できるのは、イギリスの経済学者トマス・ロバート・マルサスの『人口論』である。

マルサスの主張はわかりやすい。「適正な人口数とは、食糧の備給が追いつく人口数である」というものだ。食糧生産が人口増に追いつく限り、人口はどれだけ増えても構わないというある意味では過激な論である。

マルサスの人口論は「人間は食べないと生きてゆけない」と「人間には性欲がある」という二つの前提の上に立っている。

「性欲に駆られたせいで人口は等比級数的に増加するが、食糧は等差級数的にしか増加しない。だから、ある時点で人口増に食糧生産が追いつかなくなり、飢餓が人口増を抑制する」というのがマルサスの考えである。

これは自然観察に基づいている。ある環境内に棲息《せいそく》できる動植物の個体数は決まっている。環境の扶養能力を超える数が生まれた場合には、空間と養分の不足によって淘汰《とうた》され、個体数は調整される。その通りである。

ただし、人間の場合はもう少しリファインされていて、餓死して淘汰される前で人口抑制がかかる。

困窮の時期においては、「結婚することへのためらい、家族を養うことの難しさがかなり高まるので、人口の増加はストップする」「自分の社会的地位が下がるのではないか」、子どもたちが成長しても「自立もできなくなり、他人の施しにすがらざるを得ないまで落ちぶれるのではないか」といった心配事があると、文明国の理性的な若者たちは「自然の衝動に屈服するまいと考え」て結婚しなくなる。マルサスはそう予測した。

これは現代の日本の人口減の実相をみごとに道破している。それに、男性の性欲を生殖に結びつけずに処理する装置（不道徳な習慣）が文明国には完備されていることも人口抑制に効果的であるともマルサスは指摘していた。炯眼《けいがん》の人である。

マルサスの人口論は今の人口問題についても大筋で妥当すると思う（人口は等比級数的に増えるという予測は間違っていたし、人間の環境破壊がここまでひどいとは考えていなかったが）。

人類全体の人口は21世紀末に100億超でピークアウトして、それから減少する。もっと早く減り始めるという予測もある。その後どこまで減少するかはわからない。19世紀末の世界人口が14億だから、そのあたりで環境の扶養力とバランスがとれて人類は定常状態に入るのかもしれない。先のことはわからない。

しかし、さしあたり先進国は（アメリカを除いて）どこも急激な人口減に直面する。その趨勢《すうせい》のトップランナーは日本である。

日本の人口は最近の統計では2070年に8700万人にまで減ることが予測されている。現在が1億2600万人であるから、今から年83万人ずつ減る計算である。83万人というと山梨県や佐賀県の人口である。それが毎年ひとつずつ消える。

2100年の日本人口について内閣府の予測は、高位推計で6400万人。これはかなり楽観的な数値である。中位推計が4900万人と予測されている。

いずれにせよ、21世紀末に日本の人口は今の半分ほどになることは間違いない。日露戦争の頃が「生霊五千万」と言われたから、二百年かかって明治40年頃の人口に戻る勘定である。

「都市集中」か「地方分散」か

人口減に対して、私たちが採り得るシナリオは原理的には二つしかない。

一つは資源の「都市集中」、一つは資源の「地方分散」である。

日本人は過去において「地方分散」の成功経験は持っているが、「都市集中」については、そもそも経験がない。

私は保守的な人間なので、「過去に成功体験があった場合はその事例を参照する」ことにしている。イギリスの政治思想家エドマンド・バークが言うように、「うまくゆく保証のない新しいシステムを導入・構築する」ことに私は警戒的である。

いずれ日本は人口5000万の国になる。

その場合にどういう仕組みが適切であるかを考える時には、「うまくゆく保証のない」都市集中シナリオよりは、実際に日本の人口が5000万人でかつ安定的に統治されていた明治40年代の「地方分散」シナリオを参照するのがことの筋目であろう。

明治維新まで日本列島の人口は約3000万人。それが276の藩に分かれていた。それぞれの藩には行政官がおり、軍人がおり、商人がおり、武芸指南役や能楽師や茶の宗匠がおり、固有の方言があり、食文化があり、伝統芸能や宗教儀礼があった。サイズは違うけれども、藩は単立の政治単位であり、原則的には自給自足の経済単位であり、固有の文化共同体であった。これが「地方分散」の基本的なアイデアである。

明治維新のあと、藩は解体されて府県制に移行したが、明治政府は東京への資源集中をはかると同時に資源の地方分散にも力を注いだ。

その一つの指標として「教育資源」の地方分散を見ることができる。

明治40年代には東京帝大、京都帝大、東北帝大、九州帝大の四つの高等教育機関ができていた（京城、台北を含む九帝大が整備されるのは1939年）。

旧制高校の設立はさらに早く、東京の第一高等学校が明治19年、以後明治41年までに仙台、京都、金沢、熊本、岡山、鹿児島、名古屋に八つのナンバースクールが設立された。それ以後の旧制高校（都市名を採って「ネームスクール」と呼ばれる）は松江、弘前、水戸などの城下町に始まり旅順まで文字通り「全国津々浦々」に19校が展開した。

もちろん、教育資源の地方分散だけから明治政府の国策全体を知ることはできない。交通、通信、上下水道、電力をはじめとする他の社会的インフラも全国に広く整備されたが、ここには強く政治的配慮が関与した。戊辰戦争の「賊軍」の地方がこの点ではあからさまに冷遇されたことはご案内の通りである。

それでも、全国津々浦々にできるだけ等しく資源を分配するということが明治から昭和にかけて、日本政府の基本方針であり、国民の悲願でもあったことは事実である。

少なくとも日本の歴史を顧みて、都市部だけが栄え、地方は衰退することを積極的に「めざす」というような政策が国民的な支持を得て、実施された事例を私は知らない。

だとすれば、人口5000万人日本の社会モデルを構想するなら、「明治40年の日本」を基本にして、それをどうモディファイして、「2100年仕様」にするのかを議論するのが最も合理的であると私は思う。

しかし、現実はそうなっていない。

人口減局面において選択すべきシナリオが「資源の都市への集中」である、ということについてはすでに政官財においては既定方針となっている。

日本政府は東京を中心とする首都圏だけに資源を集中し、それ以外の土地は人口が減るに任せ、最終的には無住地化するというシナリオをすでに採択しており、実施している。

ただ、それを国民の同意を得る手間を省いて、黙って実施しているのである。「地方を見捨てる」ということは既定方針だが、それを公言することは差し控えている。

当たり前だけれど、そんな政策を公約に掲げたら自民党は地方での議席を失って、政権与党の座から転げ落ちることが確実だからである。だから、粛々と「都市集中」「地方消滅」シナリオを実現しながら、それについては何も言わない。

そもそも「二つのシナリオのどちらを採択するかという問題がある」という事実そ

のものを政府は隠蔽している。そのことが国民的な議論になることそのものを回避しようとしている。

そして、ある日、地方の過疎化・無住地化が後戻り不可能のところまで進行した時点で、「都市集中シナリオ以外に日本の生き延びる道はありません」と重々しく宣言する。そういう段取りである。見てきたようなことを言うなと言われそうだが、公開資料からでもこれくらいのことは誰でも推理できる。

人口減問題は国民的な議論を通じて対策を決定すべき事案であるけれども、現に国民的な議論は行われず、国民的な合意形成もめざされていない。そのような議論がなされ、同意形成が必要だということさえ政府は決して口にしない。

「21世紀の囲い込み」をめざす、現代の資本主義

勘違いしてほしくないのは、私は別に日本政府や財界やメディアの人々が邪悪な意図を以《もっ》て、国民の目の届かないところで「陰謀」を企んでいると言っているのではない。

彼らは何も考えていないのだ。ただぼんやりと「人口減に対処するには資源の都市集中しかない」と思っているだけなのである。

誰一人「地方分散シナリオ」について語らないので、その可能性について考える必要を感じないでいるのであろう。思考停止しているという点では政治家も国民も変わりはない。

実は、「人口減には都市集中で対処する」というのは何らかの政治的立場からする要請ではなく、資本主義からの要請である。

資本主義は、いついかなる場合でも経済成長を志向する。それによって地球環境が劣化しようと、人類が棲息できなくなろうと、経済成長を志向する。SDGsとかWoke Capitalismとかが出てきて「あの～、人類が滅びると、資本主義も滅びてしまうんですけど……」とおずおず申し立てているが、もちろん資本主義はそんなことを意に介さない。資本主義はただのシステムであって、生物ではないからである。資本主義には生存戦略というものがない。

ある日地球環境が破壊され、人類が過度の収奪によって滅びて、資本主義も終わるのだが、「それでは資本主義の立場というものがないでしょう」と言っても無駄なのである。資本主義は生き物ではないので、自己保存の本能もないし、もちろん「立場」などというものもない。だから、資本主義は「大洪水」が来るまでひたすら暴走し続ける。その暴走の余沢に浴して私腹を肥やそうとする「せこい」人間たちを巻き込んで……。

カール・マルクスは『資本論』で資本主義が起動したのは「囲い込み」からだといい

う仮説を立てた。囲い込みというのは、19世紀英国で、農地を牧羊地に転換し、自営農たちを土地から引き剝がして、都市に追いやり、労働力以外に売るものを持たない無産者に転落させたプロセスのことである。人為的に「人口過密地」と「人口過疎地」を作り出すのである。

過疎化した土地には生産性の高い事業（紡績業が基幹産業だった19世紀英国においては牧羊）を展開し、土地を失った人々は都市に集めて、求人に対して求職者が圧倒的に多い環境を作り出すことで、雇用条件を引き下げた（「お前の替えなんかいくらでもいるのだ」というのが資本家が雇用条件を切り下げるときの殺し文句であることは昔も今も変わらない）。

以後、資本主義はこの成功体験を忘れたことがない。「人口が過密で、求職者が求人を上回り、劣悪な雇用条件でも労働する都市」と「人口が過疎で、生産性の高い事業が展開できる地方」への二極化は資本主義にとって最高の環境だ。

だから、資本主義が今人口減による市場の縮減、労働者の減少という否定的環境を生き延びるために「21世紀の囲い込み」をめざすのは当然である。

そして、資本主義以外の経済システムを構想できない人たちが政策決定をしている以上、「都市集中」シナリオが選択されるのは当然である。

これは妄想ではなく、現実に起きていることなのだ。

「シンガポール化」という都市一極集中

韓国では、日本よりも早いペースで人口減と高齢化が進んでいる。合計特殊出生率（一人の女性が生涯に産む子供の数、暫定値）は2022年に0・78。少子化が叫ばれる日本でも1・26であるから韓国の少子化の速度の異常さが知れる。

その韓国では人口減と都市への人口集中が同時に起きている。すでに人口の45・5%がソウルとその近郊に集中し、その数は増え続けている。韓国第二の都市の釜山では若者の流出が顕著で、すでに市内15大学のうち14校が定員割れをしている。ソウル以外の地方では大学の廃校がもう始まっている。

昨年、韓国で講演旅行をしたときに「地方の人口減少」にどう対処したらよいかという演題を与えられた。地方の過疎化・無住地化はきわめてシリアスな問題なのだけれど、韓国内では「ソウル一極集中」に対抗する有効な言説が存在しないらしい（あれば外国から人を呼ぶまい）。

韓国を見ればわかるように、人口減局面で資本主義は必ず都市一極集中を選択する。私はそれを「シンガポール化」と呼んでいる。都市一極集中そのものは資本主義経済システムの要請であるけれども、国土の大半を無住地にして、「山河」を破壊し、国民に帰るべき田園がない未来を押し付けるということになると、政治システムの改変も連動せずにはおかないからである。

ご存じの方はあまりいないかもしれないが、シンガポールの「唯一最高の国家目標」は「経済発展」である。これが国是なのだ。だから、すべての政策は「経済発展」に資するか否かを基準に適否が判定される。

シンガポールは一党独裁の国である。国会はあるが、人民行動党が１９６８年から81年までは全議席を占有しており、81年にはじめて野党が1議席を得た。２０１１年の総選挙で野党が6議席取った時に、「歴史的敗北」の責任を取ってリー・クアンユーは政界から引退した。労働組合は事実上活動存在しない（政府公認の組合のみスト権を持ち、全労働者の賃金は政府が決定する）。

大学入学希望者は政府から「危険思想の持ち主でない」という証明書の交付を受けなければならないので、むろん学生運動も存在しない。「国内治安法」があって逮捕令状なしに逮捕し、ほぼ無期限に拘留することができるので、政府批判勢力は組織的に排除される。野党候補者を当選させた選挙区に対しては徴税面や公共投資で「罰」が加えられる。新聞テレビラジオなどメディアはほぼすべてが政府系持ち株会社の支配下にある。リー一族が政治権力も国富も独占的に所有しているという点では北朝鮮の「金王朝」と似ている。

そして、地図を見ればわかるように、シンガポールには「地方」はない。都市しかない。それでも経済活動はきわめて効率的である。

現在の自民党がめざしている政治改革はシンガポールの政体を模範にしている。反政府的な野党勢力に国会議席を与えず、労働運動を抱え込み、メディアを支配下に置き、「世襲貴族」たちが権力の座を占有して、政権との親疎がそのままキャリア形成に直結するネポティズム政治である。この十年の自民党政治はまさに「シンガポール化」と呼ぶにふさわしいであろう。

シンガポールは国民監視システムをパッケージで中国から輸入している。中国政府の発明になる「社会的信用システム」は政権に批判的な市民の信用スコアを下げて、海外旅行を禁止したり、列車やホテルの予約がとれないようにしたりして、行動を制限する精密な仕組みである。

この国民監視システムを自民党は日本にも導入したいと思っているのだが、さすがに中国からじかに買うわけにはゆかず、仕方なく自前で整備しようとしたのがあの不出来なマイナンバーカードシステムである。めざしているところは中国やシンガポールと変わらない。

人口減社会の「病弊」があるとすれば、それは人々がうるさく言い立てるように財源がないせいで、年金制度や社会保障が立ち行かなくなるというような話ではなく、日本の国のかたちが劇的に変わりつつあるにもかかわらず、「人口5000万人になった日本社会」のあるべきかたちについて議論することそれ自体が制度的に抑圧されているという病的な現実のうちにある。

人口減社会の病弊とは、人口減社会について、国民全体が（政官財の指導者も、国民も）一様に思考停止に陥っているという事実のことであり、それ以外にはない。

「人間性」を守る、地方移住者たちの戦い

韓国から地方移住者たちの団体が、私が主宰している凱風館を訪れた。人口減社会における地方の生き残りについて話を聞きたいという。

韓国は合計特殊出生率0・78という超少子化に加えて、全人口の半分近くがソウル近郊に住むという人口一極集中が進行している。地方では人口減のせいで経済活動が低迷し、学校や病院の統廃合が始まっている。だが、韓国政府は効果的な対策を講じていない。

その逆風の中で地方の再生をめざすこの活動家たちは、直感に導かれて選択した地方移住という生き方にどのような歴史的必然性や道理があるのか、その根拠を求めて、遠く日本までやってきたのである。

彼らをお迎えして、奈良県東吉野村に移住して、そこに私設図書館を開き、地方か

らの文化発信の拠点作りをめざしている青木真兵君と、兵庫県神河町に移住して、江戸時代から続く茶園を継承した野村俊介君が自分たちの実践について報告し、私が「地方移住の歴史的意義」について話をした。

人口減はもうこれからも止まらない。地球環境がこれ以上の人口増負荷に耐えられない以上、これは文明史的必然である。これを解決するための選択肢は、資源の地方分散か都市への一極集中か、いずれかである。

そして、資本主義の延命のためには後者しかない。地方を過疎化し、都市を過密化すればしばらくの間資本主義は生き残ることができる。これは19世紀英国で行われた「囲い込み」を人口減局面で行うという離れ業である。成功するかどうかは誰も知らない。

でも、資本主義はそれを要請し、現代の経済システムで受益している人たちはそれに従うだろう。

韓国の地方移住者たちはそれを非とする人たちである。だから、政官財もメディアも誰もその活動を本気で支援してはくれないだろう。それでも、「あなたたちは戦うべきだ」という話を彼らにした。

韓国の地方では、行政、医療、教育の統廃合が進み、それが過疎化を加速させている。病院がなくなれば、基礎疾患のある人や高齢者を抱える家族は暮らせない。学校がなくなれば、学齢期の子どもを抱える家族は暮らせない。

「過疎地の住民には行政コストはかけられない。まともな市民生活が送りたければ都市部に引っ越せばいい」というロジックを行政側が操り、メディアがそれに唱和する。そして、しばしば都市の市民たちも「地方に住むのは費用対効果の悪い生き方だから」という理由で、そのような生き方を非とする。事情は日韓同じである。

けれども、医療や教育は本来弱者のための制度ではないのか。疾病や障害のある人のために医療はあり、生活できるだけの知識や技術をまだ会得していない人のために教育はある。そして行政も弱者のための制度である。

権力者や富裕者は行政サービスを別に求めてはいない。彼らはむしろ彼らの旺盛な活動に干渉しない「夜警国家」を望ましいものだと思っている。彼らの自由な活動を妨害するものから彼らの権利と富を守る以上の業務を彼らは行政に期待しない。

強者のイデオロギーに屈するな

アメリカのリバタリアン（自由市場主義者）たち、そのさらに過激化した新反動主義者たちは、堂々と福祉制度の廃止を主張している。彼らに言わせると、福祉制度は富を富者から貧者に移転させることであり、財産権の侵害であるからただちに廃止されなければならない。極論だが、「強者はきめこまかい行政サービスなど必要としない」ということは彼らの言う通りである。

行政は本来弱者のためのものであると言うと目を剝《む》く人がいるかもしれない。けれども、防災も防犯も公衆衛生も社会福祉もどれも発生的には自分ひとりでは身の安全を保てない人たちのものである。

私が子どもの頃、防災や防犯は町内の仕事だった。冬の夜に父親たちは「火の用心」と拍子木を打ちながら町内を回った。日曜は町内総出で「どぶさらい」をして感染症を予防した。市町村の行政が整備されていない時期は「共同」で弱者たちは身を護《まも》ったのである。その「共同で身を護る」仕事を制度化したものが行政である。

だから、その根本の趣旨から言えば、共同で身を護るための相互扶助ネットワークに帰属していない人こそがまず行政による支援の対象でなければならないはずだ。医療が癒やしを求めている人の救難信号を聴き取るところから始まるように、教育が学びの機会を求めている人の救難信号を聴き取るところから始まるように、行政は共同体からの支援を求めている人の救難信号を聴き取るところから始まるはずである。

そうであるならば、共同体の相互支援を十分には期待できずに、取り残された人たちの「小さな声」を汲《く》み上げることこそ他のいかなる公的機関も代替することのできぬ行政の仕事ではないのだろうか。

過疎地に居住している人々は、少数者であるがゆえに行政サービスを諦めねばならないというのは行政の趣旨として間違ってはいないだろうか。

もちろん、世の中そうそう道理が通らないことは私も承知している。行政のリソースが有限である以上、費用対効果ということも当然配慮しなければならないことはよくわかる。

それでも、過疎地の行政機関を統廃合するときには「小さな声」を聴き取る機会を逸することへの「疚《やま》しさ」が行政側にあって然《しか》るべきだろうと私は思う。

しかし、現実に行政の側にも、メディアの論調にも、そのような「疚しさ」を感じることはほとんどない。

たしかに「住民が少ないので、行政・医療・教育機関を置くだけの余裕がない」ということは十分な理がある。

だが、実際には行政・医療・教育機関がなくなると、人はそこに暮らせなくなるのである。だから、これは暗黙のうちに「地方にはもう人は住むべきではない」という遂行的なメッセージを発信しているのである。

そして、それは「社会的弱者は公的支援を期待すべきではない」という「強者のイデオロギー」に帰着することになる。

第3章

社会問題に相対する構え

「加速主義」で明るい未来が開けるか

以前、講演会で「大阪維新の会」政治15年の総括を求められた。行政、医療、教育、どれをとっても大阪市府の現状は高い評点を得られるものではない。だが、大阪での維新の人気は圧倒的である。なぜ政策が成功していない政党を有権者は支持し続けるのだろうか。

維新政治に批判的な人たちは、有権者が維新政治の実態を知らないからだという解釈を採っている。大阪のメディアが維新の広報機関と化しているので、有権者は維新政治が成功していると信じ込んでいる。だから、真実を知らしめれば、評価は一変するはずだと言うのである。

そうだろうか。私は違うような気がする。大阪の有権者は大阪で何が起きているかちゃんと知っている。それは、日本の未来を先取りしているということだ。実は大阪は「トップランナー」なのである。

公務員は減らせるだけ減らす。行政コストは削るだけ削る。社会福祉制度のフリーライダーは一掃する。学校教育では上位者の命令に従うイエスマンを創り出す。これらは、アメリカの「加速主義者」たちが主張し続けてきたことといくつかの点で重複する最新の政治的主張だ。


「加速主義」というのは、2010年代アメリカに登場してきたホットな思想である。資本主義はすでに末期を迎えている。人類は「ポスト資本主義」の時代に備えなければならない。だが、「民主主義」や「人権」や「政治的正しさ」のような時代遅れのイデオロギーがブレーキになって、資本主義の矛盾を隠蔽し、資本主義の終焉《しゅうえん》をむしろ遅らせている。

そのブレーキを解除して、資本主義をその限界まで暴走させて、その死を早め、資本主義の「外」へ抜け出そうというのが加速主義である。

映画を倍速で観る人たちが多数派を占めつつある時代にふさわしい思想だと思う。

結果の良否はどうでもいい。結果を今すぐこの目で見たいという欲望のあり方は私にも理解できる。

「棺を覆《おお》いて事定まる」とか「真理は歴史を通じて顕現する」とかいう考え方は「ことの良否が定まるまでには長い時間がかかり、生きている間には結果を見ることができないかもしれない」という人間の有限性の自覚に基づいている。

当然、「そんなの嫌だ」という人もいるだろう。自分が今していることの意味は今すぐ知りたい。判定を「後世に待つ」というような悠長なことには耐えられない、と。

この加速主義的傾向は今、社会のあらゆる領域に広がっているように思われる。「世界標準は……なのに、日本だけが取り残されている」とか「バスに乗り遅れるな」というタイプの定型句は政治的立場を超えて頻用されている。

気象変動についても、パンデミックについても、金融危機についても、原発再稼働についても「待ったなし」だと人々は言う。その言葉づかいの同一性に私はいささかの不安を覚える。

加速主義的傾向が支配的な社会では「スピード感」がすべてを押し流し、浮き足立った気分を煽《あお》る人たちが世間の耳目を集める。そうして焦燥に駆られて採用された政策がいかなる結果をもたらしたかの事後的検証には人々はもう興味を示さない。「未来を早く知りたい」という焦燥感は私にも理解できる。だが、過去を振り返り、失敗から学習する習慣を失った人たちの前に明るい未来が開けるということがあり得るだろうか。

破壊的なポスト資本主義

事情があって村上龍の初期の傑作『愛と幻想のファシズム』を読み返した。1984年から86年まで週刊誌に連載されていた小説だから、40年ほど前の日本の「近未来」が描かれている。作者の想像が外れているところもあるし、恐ろしいほど当たっているところもある。

多国籍産業が世界の政治経済を支配し、日本がアメリカの属国としてその激しい収奪の対象となり、財政の失敗で中小企業が次々倒産し、巷《ちまた》に失業者があふれ、社会不安が限界まで亢進する……という暗い未来図は今から少し先のことを言い当てているようである。

何よりも私が驚いたのは、メディアからは「ファシスト」と呼ばれ、アメリカを相手に戦いを挑む主人公・鈴原冬二の思想が現代の「加速主義」そのものという点である。

加速主義というのは、アメリカに発生したポスト資本主義を望見する思想で、シリコンバレーの若手ビジネスマンたちの間では支配的なイデオロギーとなっていると聞く。


資本主義はもう限界に来ている。しかし、人権擁護や政治的正しさや環境保護を言い立てる人々の干渉で、資本主義はいくぶんか「耐えやすい」ものになり、そのせいでむしろ延命している。それよりは一気に資本主義を終わらせるほうがいい。

そのためには社会福祉制度や保険制度を廃止し、医療も教育も商品化して金がない人間は受けられないようにする。そうやって、弱い個体を淘汰し、生き残ることができる強い人間たちだけでポスト資本主義の新しい世界を構築するという冷酷でハードな考え方である。

この思想を鈴原冬二はそのまま口にしている。

《大切なのは、人間があまりに動物から遠く離れてしまったということだけだ。人間は、ただの動物だ。（……）俺は、人間を動物へと戻す》《幸福にならなければならないという妄想が奴隷達を苦しめている》だから、《日本を一度徹底的に破滅すればよい》と鈴原はつぶやく。

この破壊的なイデオローグに多数の日本国民が拍手喝采を送り、彼の支配を懇請するようになるというこの小説の展開に現代日本人はもうそれほど違和感を覚えないだろう。


少なからぬ数の日本人たちはすでに「人権や政治的正しさ」を嘲り、弱い個体は野垂れ死にすればいいと揚言《ようげん》する政治家たちに拍手喝采を送っているからだ。

彼らは自分たちのことを「生き残ることのできる強者」だと信じているのか、それとも絶望のあまり「死なばもろとも」と念じているのか、いずれであろうか。

憲法の「主体」とは誰か

5月3日の憲法記念日は毎年どこかで講演する。いつもだいたい「憲法は空語《くうご》だ」という話をしている。憲法に書かれているのは「あるべき世界」についての願望で、現実とは乖離している。

だが、それは透視画法の消点のようなもので、そこをめざして現実を変成してゆくための目標である。

「人間は、自由で、権利において平等なものとして出生し、かつ生存する」というフランスの人権宣言の言葉も、「すべての人間は生まれながらにして平等であり、その創造主によって生命、自由、および幸福の追求を含む不可侵の権利を与えられている」というアメリカの独立宣言の言葉もどちらも空語である。現在のフランスにもアメリカにもそんな現実はないからだ。

「現実と乖離しているから憲法を書き換えろ」という人たちがいる。

「平和を愛する諸国民の公正と信義に信頼して」という憲法前文を取り上げて「この世界のどこに『平和を愛する諸国民』が存在するのか。誰もが自己利益を追求して、殺し合っているではないか」と言う人たちがいる。

では、現実のありのままに叙した憲法を制定した後、彼らはどのような世界を築くために、どういう努力をする気なのか。ただ現状を肯定し、現状を追認してゆくことを「国是」に掲げた後、何をする気なのだろうか。

以前、憲法集会で「憲法の主体は誰でしょう?」という質問を受けた。私はこんなふうに答えた。

「日本国憲法に主体がいるとすれば、それは白い紙と鉛筆を渡されて『あなたの国の憲法を自分で制定してください』と言われた時に今の日本国憲法の条文のようなものを自力で書き上げることのできる人です。

それができる日本人はまだいません。これから生まれるのです。この憲法を自分の発意で、自分の言葉で書ける日本人が憲法の主体です。そのような人間を創り出すことが私たちの仕事です」

原爆に対する米国民の罪責感

映画『オッペンハイマー』に広島・長崎への原爆投下の場面がないことがネットで話題になった。同じクリストファー・ノーラン監督の『ダークナイト　ライジング』でバットマンはゴッサム・シティの人々を守るために核爆弾を街から6マイル離れた「安全な海上」に投棄する。だが、バットマンも市民たちも被曝《ひばく》した様子はない。映画『インディー・ジョーンズ／クリスタル・スカルの王国』にはネバダの原爆実験場に迷い込んだジョーンズ博士がカウントダウンを聴いてあわててモデルハウスの冷蔵庫に隠れて（多少の打撲以外）無事という場面がある。

どうやら米国民は核兵器というものを「ちょっと大きめの爆弾」程度のものと思っているらしい。世界最多の核保有国の国民が自国の所有している兵器について、このようなシリアスな誤解をしていることはやはり一種の〝病〟と言ってよいだろう。

なぜ、米国民は核兵器の破壊力や毒性をこれほどまでに過少評価するのだろう。

それは罪責感の裏返しだと私は思う。

広島・長崎への原爆投下後、その惨状を伝え聞いた米国民の間から深い罪の意識を持つ人たちが出て来た。主にキリスト教徒とリベラル派の人たちが「敗戦必至の日本に原爆を投下して20万人の市民を殺す必要があったのか」とトルーマン大統領を責めた。

1946年の東京裁判の冒頭で弁護人ベン・ブレイクニー少佐は「原爆を投下した者、計画した者、その実行を命じた者もまた殺人者ではないか」と述べて、アメリカには「平和に対する罪」を裁く権利はないと論じた。

この罪責感が米国内に反核の流れを作り出すことを懸念したヘンリー・スティムソン元陸軍長官は1947年に「原爆投下によって100万人の米兵の生命が救われた」という声明を発表した。

この声明には何の統計的根拠もなかったが、米国民はこれに飛びついた。原爆投下に疚しさを覚える必要がないということが以後米国民の公式見解になった。

だが、これもある種の歴史修正である。一度ついた嘘は最後までつき通さなければならない。米国民が「原爆なんてただの大きな爆弾だ」という「物語」を以後服用し続けているのはおそらくそのせいである。抑圧されたものは症状として回帰する。

ウクライナ停戦の条件

ウクライナとロシアの停戦はありうるか、という質問をある媒体から受けた。私は国際政治についてはただの素人である。私の意見は「床屋政談」の域を出ない。それでもよいならという条件でこんなことを書いた。

ウクライナにとっての「国土回復」はロシアにとっての「国土喪失」であるというゼロサムゲームを両国は戦っている。戦力は拮抗《きっこう》していて、どちらかの国が圧倒的勝利を収めるという終わり方は今のところなさそうである。

ロシアは憲法で領土割譲を認めていないのでロシアには「停戦のための領土的譲歩」という外交カードがない。軍事的勝利以外にプーチン大統領には自分が始めた「特別軍事作戦」の出口がない。

領土的既得権を失うかたちでの停戦はプーチンの政権基盤を危うくし、失権のリスクがある。だから、プーチンは自分からは絶対に譲歩しない。

一方、ゼレンスキー大統領はその「ぶれない姿勢」でウクライナ国民と欧米諸国の支持を集めている。もし彼がロシアと水面下の交渉をしているという情報がリークされたら国民は失望するだろう。

国民からの信認はゼレンスキーの唯一の権力基盤である。だから、ゼレンスキーも国民の合意を取り付けた後にしか譲歩を試みることができない。


完全なデッドロックである。状況が変わるとしたら、両国の指導者のどちらかが何らかの理由で（反政府運動か、クーデターか、あるいは健康上の理由かで）地位を去る場合である。

プーチンは自分の地位を狙う政敵はほぼ完全に排除してきたから権力中枢に残ったのは無能なイエスマンばかりである。エフゲニー・プリゴジンのような素人が軍事に口出しするというような異常なことが起きたのはたぶんそのせいだ。

軍は戦争に忙しく、治安当局は体制受益者であるからクーデターを企てるインセンティヴがない。クーデター以外の理由でプーチンがその座を去った場合も、後継者は外交的な譲歩をしないだろう。すれば国民の支持を失うことが明らかだからだ。

ゼレンスキーの支持基盤は国民の愛国的な気分である。だから、何らかのシリアスな失策を犯した場合、失権する可能性はプーチンよりずっと高い。ゼレンスキーの後継者は国民と欧米諸国の厭戦《えんせん》気分を配慮して、領土的譲歩を呑む可能性はある。ロシアにとってはそれがとりあえず「最良のシナリオ」である。

だから、今もロシアはウクライナ国民の厭戦気分と「反ゼレンスキー気分」を煽るために非戦闘員の殺害と偽情報攻勢を行っているはずである（あまり効果が上がっていないようだが）。

停戦のもう一つの可能性は仲裁役の登場である。国連安保理もアメリカも戦争の当事者なので「時の氏神」にはなれない。

できるとしたら、習近平だろう。習近平がウクライナに対して桁外れの金額の復興支援を約束した場合、ウクライナが「いったん停戦して、中国の金を使って『次の戦争ではロシアに勝てる国』づくりに勤《いそ》しむ」という選択をする可能性はある。これなら面子が立つから。

だが、仲裁が成功した時、中国はアメリカに代わってグローバル・リーダーの地位に就くことになる。だからアメリカは全力を挙げて中国による調停を妨害するだろう。

その時、日本政府はどうするつもりだろうか。

何も考えていないような気がする。

国際社会の「暴力」について

「圧倒的な暴力」を前にしたときに私たちがまずなすべきことは「圧倒的な暴力」を「制御可能な暴力」に縮減することである。それは質の転換のことではなく、量の規制のことだ。

国際関係論では「危機」を二種類に分別している。danger と risk である。danger は「人知を以ては制御不能の危機」、「黙示録的危機」のこと。それに対して risk は「コントロール」したり、「マネージ」したり、「ヘッジ」したりすることができる危機のことだ。政治外交の要諦は「デインジャーをリスクに縮減すること」だと以前教えてもらった。

私はこのような知性の働きを大切だと思う。暴力をゼロにすることはできない。世の中の悪を根絶することはできない。それならその事実を前に絶望する暇があったら、それを「受忍限度内」に縮減する具体的な方法を考えたほうがいい。

戦時国際法というものがある。非戦闘員を攻撃してはならない。医療施設、教育施設、宗教施設などを軍事目標にしてはならないというようなことを規定している。

「何をのんきなことを言っているんだ」とせせら笑う人がいるかもしれない。「おい、戦争やってんだぜ。そんなところにうろうろしている人間が巻き添えを食うのは当たり前じゃないか」と。そういう考え方が「クール」で「リアル」だと思っている人が戦争を80年間知らない日本の中にもいるかもしれない。

だが、「戦争にもルールがなければならない」という合意にたどりつくために努力してきた人は別に「ルールを決めたら被害者がいなくなる」と信じてそうしてきたわけではない。そうではなく、戦闘のさなかにいる兵士が銃口の先に市民の姿を見たときに一瞬引き金を引くことを「ためらう」ことを願ってこのようなルールを定めたのだ。

戦時国際法は非戦闘員の「コラテラル・ダメージ」をゼロにすることはできない。でも、減らすことはできる。

暴力を根絶することはできない。これは誰でもわかる。しかし、だからと言って「暴力の行使を抑制するあらゆる試みは無駄だ」という結論に一気に飛びつくのは「子ども」だ。暴力を根絶することはできないが、抑制することはできる。だったら、一人でも死傷者を減らす工夫をするのが「大人」である。

実際に、遅々とした歩みではあるが、人間の社会は少しずつ「人間的」になっている。奴隷制度や、拷問や、異端審問や、人種差別・性差別は今も残存している。でも、さすがにそれを堂々と、何のためらいもなく行う人は少しずつ減っている。少なくとも、それを合法的に行う公的機関はほとんどなくなった。これは200年前に比べたら、たいへんな進歩だと思う。

暴力の制御は「原理の問題」ではなく、「程度の問題」である。それは真偽や正否のレベルにはない。「そんなのは五十歩百歩だ」と言って、程度を調整する努力を冷笑する人がいるが、そのわずか「五十歩」の差の蓄積によって人類の社会は少しずつ住みやすくなってきている。

今回のイスラエル・ハマス戦争をみても、どちらに「正義」があるかをめぐって激しく世論が分断されているが、どちらに「正義」があるかは原理的な議論である。原理的な議論には結論がない。一方が100％悪で、他方が100％善であるというような戦争はこの世にはない。あるのは「正しさの程度差」だけだ。

これは虚無的な意味で言っているのではない。「正しさの程度差」を冷静に考量することでしか、暴力は抑制できないからである。

2014年にロシアがクリミアをロシア領に編入する時に、プーチン大統領はクリミアではロシア系住民が差別、迫害されているからロシアは人道的立場からこれに介入した、ロシア編入は住民投票の結果圧倒的な民意を得た上でなされたと主張した。この時プーチンは「民族差別はあってはならない」と「民主的な手続きによる決定は重い」という国際社会が「文句をつけられない」大義名分を掲げた。

2022年のウクライナ侵攻のとき、ロシアもプーチンは名分を立てたが、それはウクライナ政府は「ナチ化している」という妄想的な「物語」だった。残念ながら、この物語を信じるものは国際社会にいなかった。

２０１４年と２０２２年でロシアは「同じこと」をしたのに、国際社会のリアクションが違う。これは理不尽ではないかと言う人がいたが、実際には「同じこと」をしたわけではない。ロシアの「国際社会の常識を守るふりをする」努力において、この二つの軍事行動の間には、見落とすことのできない「程度の差」があったからである。それゆえ、２０２２年には国際社会はロシアを侵略者とみなし、ウクライナの国土防衛戦を国際法上合法的であるとみなした。「程度の差」はそれなりの実効性を持っているということだ。

ハマスのテロによってイスラエル国民１４００人が死亡した。だから、ガザ侵攻は自衛権の発動として当然だというのは「原理的には」正しい言い分である。しかし、その「自衛権の行使」で、ガザでは非戦闘員である市民たちが１３０００人殺され、医療施設や教育施設や宗教施設など、軍事目標にしてはならない建物が爆撃された。そうなるとこれは「自衛の過剰」ということになる。

「自衛をすることは許されるが、自衛的暴力にも限度がある」というのもまた国際社会の常識である。ことは「限度を超えた」という程度の問題なのだ。

どこにどんな「限度」があるのか、それはあらかじめ予示されているわけではない。限度を超えた後になって、「限度を超えた」ということがわかる。限度はつねに事後的に開示されるものだから。

仮に、イスラエルの攻撃がハマスの軍事拠点だけに限定されており、イスラエルの兵士たちが非戦闘員の被害を最小限にとどめる努力をしていたら、国際世論はイスラエルに与《くみ》したかもしれない。でも、そうはならなかった。「限定」し、「とどめる」努力を怠ったからだ。

正義はどちらかの陣営にあらかじめビルトインされているわけではない。どちらにも戦う大義名分がある。だが、「限度を超えた」側は「正義を主張する権利が目減りする」。それだけのことなのだ。

「境界線」を固定化してはならない

スロベニアの哲学者スラヴォイ・ジジェクは、「ハマスとイスラエルの強硬派はコインの裏表だ。私たちは、境界線をハマスとイスラエルの強硬派の間に引くのではなく、二つの極端な勢力と平和な共存の可能性を信じる人たちの間に引かなければならない」と指摘した。

ジジェクが言いたいことはよくわかるが、「境界線」という言葉を私なら使わない。そういう言葉を使うことで、より効果的に暴力が抑制されるとは思わないからである。「平和な共存の可能性を信じる人」も自分の家族や友人が殺されたら、信念が揺らぐかもしれないし、「戦いでしか未来は実現しない」と信じる人もあまりに多くの流血を見た後には戦うことの虚《むな》しさを感じるかもしれない。

私の若い友人である永井陽右《ようすけ》君はソマリアでゲリラからの投降兵士の社会復帰を支

援するという活動をしている。少年兵としてリクルートされて、戦い続けてきたゲリラ兵士たちが「戦うことにうんざりして」市民生活に戻りたいと思う気持ちに応えるという仕事だ。

永井君たちの努力は「境界線」を「越境可能」な状態にすることに向けられている。これは果てしない暴力の中で疲弊しきったソマリアが最後にたどりついたひとつの実践的結論だろうと私は思う。

敵味方の「境界線」を固定化しないこと。原理主義者に「スティグマ」を刻印してはいけない。「極端な人」を「ふつうの人」の陣営に回収する努力を「ふつうの人」たちは止めるべきではない。

今回のガザ侵攻が「ジェノサイド」であるかどうかはまだ国際的合意ができていない。

1948年に制定されたジェノサイド条約による定義は、

（1）集団成員を殺害すること

（2）集団成員の心身に深刻な危害を加えること（拷問、強姦、薬物投与など）
（3）集団の破壊をめざす生活条件を強制すること（医療や教育機会の剥奪、強制収容、強制移住など）
（4）集団内における出生を妨害すること
（5）集団の子どもを強制的に他集団に移すこと

とされている。

イスラエルはガザのパレスチナ人をこれまで「巨大な監獄」の中に閉じ込めて、さまざまな生活条件の妨害を行ってきた。これはすでに「ジェノサイド」の（3）の要件を満たしていると言えるかもしれない。

このあとガザでの戦闘で、イスラエル軍の側に非戦闘員とハマスの戦闘員を区別する努力がまったく見られなかった場合には（1）の「集団成員の殺害」が適用されるかもしれない。

イスラエルの軍事行動が「ジェノサイド」に認定されることに欧米諸国は反対する

と思うが、国際世論はイスラエルの暴力に歯止めがかからなければ、これを事実上の「ジェノサイド」であると認定するだろう。

もちろん、だからと言って国際社会にはイスラエルに具体的な「罰」を与える権限はない。彼らの軍事行動を実力で止めることもできない。

それでも、イスラエル国民はこれから長く国際社会においては「イスラエル国民」であると胸を張って名乗ることが難しくなるだろう。人によってはその事実を恥じるようになるかもしれない。

いずれにせよ、その名乗りが海外で温かい歓迎を受ける可能性はこれから先きわめて低くなるはずだ。身の安全を配慮したら、どこの国のパスポートを持っているか訊かれても答えないというような態度を取らざるを得ないようになると思う。

イスラエルが再び国家としての尊厳と信頼を回復したいと望むなら、今回ベンヤミン・ネタニヤフ首相が主導した戦争犯罪を認め、その責任を彼ら自身の手で徹底追及し、パレスチナの人たちに謝罪を求めることについての国民的合意を達成しなければならない。それしか手立てはない。

私たちにできるのは「ジェノサイドは割りに合わない」という経験則を人類全体が共有するように努めることだ。時間はかかるだろう。人類の学習速度は非常に遅いのである。

第2部 自由に生きるための心得

第4章

他者の思想から考える「自由さ」と「不自由さ」

60年来の友との不思議な関係

平川克美《かつみ》君と私は11歳の時に知り合って、爾来《じらい》60年余を仲良く過ごしてきた「竹馬の友」である。それほどのべつ会っていたわけではないが（10代、20代の頃は年に一度ということもあった）、ずいぶんお互いから影響を受けた。

いや「影響を受けた」というと、まるですでに確立した人格同士のやりとりみたいだがそうではない。まだ「人格」として確立する以前に友だちになってしまったので、人格を形成する過程で、人格が「ぐちゃぐちゃ」になってしまったのである。

小さい子どもは友だちが転んでも「痛い」と言って泣き出すことがある。自他の区別がよくできないのだ。精神分析の用語で「転嫁現象（transitivisme）」と呼ぶ。

わが身に起きたことと、同年齢の友だちの身に起きたことが区別できないのである。

ふつうこんな現象は3歳未満の幼児にしか起きないが、平川君と私の間では例外的にそれが思春期以後に起きた。

私たちは小学校卒業までたいへん濃密な1年半を過ごしたのだが、そのあと別々の中学校に進学した。それまで毎日、朝から夕方までつるんでいた相方が不意にいなくなったのだから、その欠落感はずいぶんシリアスなものだったと思う。


その精神的危機を乗り越えるために、たぶん私たちは二人とも「友だちは私の中にいて、いつも一緒」という妄想を育んだ。

そして、たまに会ったときに、相手の変貌ぶりを見て驚きながらも（10代のときの私たちは二人とも信じられないほど急速度で変貌していた）、自分の中にある想像的な友だちの姿かたちを現実に合わせて補正することで「いつも一緒」幻想をかろうじて維持した。たぶんそういうことだったと思う。

思春期にまで延長されたこの「いつも一緒」幻想のせいで、その後、相手が考えていることと、自分が考えていることの区別がうまくつかなくなった。

もちろん「うまく」つかなくなっただけで、「違う」ということはわかる。

ただ、二人の考えの近いところ、境界線上のアイデアについては、それが最初にどちらが思いついたのかがよくわからない。

平川君が言い出したことに私が「そうそう、実はオレも前からそう思っていたんだよ」と頷《うなず》いたことなのか、私が言い出したことに平川君が「実はオレも前からそう思っていたんだよ」なのかが曖昧なのである。

仕方がないので、そういうアイデアは全部「パブリックドメイン」とか「コモン」とか、お互いに出入り自由なところに置いておき、二人とも勝手に使っていいことになっている。だから、「オレのアイデアを盗用するな」というようなせこいことは私たちの間では「ない」のである。

人生は「問題解決のため」にあるわけではない

平川克美君の著書『「答えは出さない」という見識』（夜間飛行）の書評を依頼されたことがある。その本の主張のすべてに私は同意する。いや「同意する」ではなく、「実はオレも前からそう思っていた」のである。

それでも、頼まれた以上は平川君の著書の書評らしき文字を並べてみせないといけないので、以下にいささか贅言《ぜいげん》を弄する。

読みはじめてみたらいつもとちょっと調子が違う。「あとがき」を読んでその理由がわかった。

この本は中山求仁子《くにこ》さんというライターの方を相手に、平川君が人生相談の手紙に回答し、それを中山さんが原稿に仕上げて、平川君が手を入れるという形式で行われたそうだ。

だから、平川君は相談に回答する前に、自分がどうしてこういう回答をするかについて、まず目の前にいる中山さんを説得しなければならない。この人を頷かせることができなければ、人生相談をしてきた人を頷かせることはできない、平川君はそう思ったのである（たぶん）。

そういうわけだから、最初の頃は話がわりと「くどい」。それが後ろにいくほど、話の走りがよくなる。疾走感が出てきて、読んでいてちょっとドキドキする。

きっと聴き手の中山さんに平川君の「思考の癖」がだんだんわかってきて、「はいはい、そうですね」と頷くのが早くなってきたからであろう。

出だしはいささか重い。平川君の語りは抽象的で、堅苦しい説教口調である。

当然、こんな話を聴いても中山さんは簡単には頷いてくれまい。平川君の困っている顔が目に浮かぶ。

そこで平川君は方針を改めて、具体的な事例を出したり、他人の本から引用したりという手立てを使うようにした（引用の一部は加筆の時に「これも入れておこう」と後知恵で思いついたのだと思うが、引用はどれもピタリとはまっている)。

そのやり方が奏功して、人生相談の諸問題はそれぞれに奥行きと深みを増した。そして、「だから、あなたの問題に単一の正解はないのです」という平川君の回答にいい具合に着地した。


言い遅れたけれど、平川君のこの人生相談には「回答」がない。答えを出さないで、問いを深めるだけである。

「問いを深める」というのは、相談してきた人が、そもそもどういう歴史的文脈の中で、どういう個人的事情のせいで、「こんな問題」に直面することになったのか、そのことを相談者自身に考えさせるということである。

これは姿勢としてまことに正しい。平川君はその趣旨をこう書いている。

《人生は、問題解決のためにあるわけではない。ですから私は、質問者ご自身においても、安易に答えを出すことをせずに、問いを抱えながら生きてゆく術を学んでほしいと思うのです。》(4頁)

《解決できない問題の前で、私たちはどうすればいいのか。問題の立て方を変更する必要があります。「どうしたら解決できるか」ではなく、「解決できない問題を抱え込んだまま生きていくためには、人はどうすればよいか」というふうに。》（36頁）

解決できない問題を抱え込んでいても、人は生きていける。生きていけるどころか、その問題を足場にして人間的成熟を遂げることができる。

これはまったくその通りである。人は葛藤を通じて成熟する。葛藤を通じてしか成熟できない。

《解決できない問題に遭遇したら、もう泣くしかないということになります。泣いたり、立ち止まったり、ためらったり……。それでいいんだと思います。

これは、実は時間稼ぎなんです。泣いている間に、なぜ泣いているかわからなくなる。泣いている間に、心の中で肥大化していた問題が、だんだんと実寸大に戻る。実寸大に戻ったときには、たいした問題じゃなかったとわかる。》（36頁）

解決できない問題に遭遇したら、しばらく「しょんぼりする」というのが有効だと以前精神科医の春日武彦先生からもうかがった。「困った、困った」とぼやいているうちに、思いがけないことが起きて問題が「消えて」しまうということがよくあるようだ。

平川君の「人生相談本」の勘どころは「贈与」と「責任」について論じたところである。ここでは平川克美君も声に熱がこもっている。

《この世の中に、実は等価交換は思ったほど多くありません。多くのことは、等価交換ではなく、贈与交換によって成り立っています。》（136頁）

贈与について、マルセル・モースやクロード・レヴィ＝ストロースの贈与論が祖述される。価値あるものを贈与された者はそれを退蔵してはならない。それを他者に贈与しないと「悪いこと」が起きる。これを「反対給付義務」と言う。贈与と反対給付の仕組みを持たない社会集団は存在しない。

前近代ではこれは「お天道さまが見ている」という信仰のかたちをとった。平川君は落語『文七元結《ぶんしちもっとい》』を例に贈与の理法を説く。

《自分は金がないのに、困っている人がいれば、「助けたい」という思いが募って、なけなしの自分の金を渡してしまう。（…）この落語では、表層にある、不合理な選択と合理的な選択のどちらを人は選ぶべきかということの背後に、もうひとつ別の次元があることが示唆されています。

それは人を助けたということをどこかで誰かが見ていて、それに対して自分では意図しないところから返礼が来るというような信仰の次元です。昔の日本人は「お天道様が見ている」ということをよく言いましたが、これは最終的な審判は天がしてくれるという信仰ですよね。》（148〜9頁）

現代日本社会も決して例外ではない。

例えば、挨拶は一種の「贈り物」であるから「おはようございます」と挨拶されて、それに返礼しないと「何か悪いこと」が起きる。お中元・お歳暮をもらってお礼状を出さないと「何か悪いこと」が起きる。近代でも贈与の呪術性についての信仰は細々とだけれども残存している。

いささか説明を加えるが、贈与経済の起点にあるのは、「私は贈与された」という被贈与感覚である。それを感じた人が反対給付義務に急《せ》かされて、誰かに何かを贈る。そこからエンドレスの贈与経済が始まる。

沈黙交易の場合、自分たちのテリトリーと異族のテリトリーの境界線近くに「何か」が落ちているときに、それを「贈り物」だと直感した人が反対給付として、何か価値あるものをそこに置くことになる。次に同じ場所に行くと前に置いたものがなくなっていて、代わりに何か別のものが置いてある。これが沈黙交易である。

最初に「あ、こんなところに私宛ての贈り物がある」と思った人が見たのは、実は風に吹き飛ばされてきたものかもしれないし、動物が咥《くわ》えてきたものかもしれないし、誰かが捨てていったものかもしれない。だが、「これは私宛ての贈り物だ」と感じた人がいると、その人を起点に贈与経済のサイクルが開始される。

だから経済活動においては、何かを見て「あ、これは私宛ての贈り物だ」と思い込んだ人が一番偉いのである。「世界は自分に対する恩寵《おんちょう》で満ちている」というタイプの多幸症的な世界観を持つ人が贈与経済の創始者なのである。
損得勘定とか費用対効果というような寝言を言っている人間は、経済の本質と無縁なのである。

平川君は責任についてもとても大事なことを言っている。
《人生においては、ある事物や出来事に対して責任を負う範囲が大きくなる瞬間があります。何度も言っていることですが、自分に責任のないものに責任を取るという姿勢こそがたいせつで、たとえば、赤の他人がしたことに対してまでも「それは自分の責任である」「自分がその責任を負っている」と感じられるようになることが、成熟に結びついていくように私は感じています。》(222頁)
《隣の弱者に対して、そこには幾分か自分の責任があるのだと自覚し、自分が他者の境遇に対してまでその責任を負おうとする。このような形で、人は成熟の階段を上りはじめると言ってよいでしょう。自分が獲得したものの重さではなく、負債として感じているものの重さを感じ取る感性こそが、人を成熟させる。》(223頁)

これはまったく平川君の言う通りである。ここで平川君はほとんどエマニュエル・レヴィナスと変わらないことを語っている。レヴィナスはこう書いていた。

《私の有責性の範囲はどこまでなのでしょう？　ある程度まで、私は他者における悪についてはは自分が有責であると思っています。他者を責め苦しめるものについても、他者が苦しめるものについても、ひとしく有責であると思っています。私は人間的には他の人間から放免されることはないのです。》（レヴィナス／ポワリエ、『暴力と聖性』、内田樹訳、国文社、1991年、135頁）

平川君は《私たちは、生まれながらにして負債を負っている。それをなんとか返していこうとするわけです》（224頁）というきわめて宗教的な命題を語る。

「だから、他者が貧乏になっていることへの責任を自分も分かち持とうとする。本来は自分に責任のないことに対してまで、責任の範囲を広げてしまう。》（226頁）

一方、レヴィナスはこう書いている。

《自分のなしたこと以上の責任を負うという、この有責性の過剰が生起する場所が宇宙のどこかにありうるということ、それがおそらく畢竟《ひっきょう》するところ、『私』の定義なのである。》(Lévinas, *Totalité et Infini*, Martinus Nijhoff, 1961, p.222)

自分が犯していない罪過についてさえ有責性を感じることが「できる」というこの逆説的な権能のうちに主体性は棲《す》まっている。

これが主体性であり「善性」である。レヴィナスはそう述べた。この一行にレヴィナスの哲学は集約されていると言っても過言ではない(少し過言だが)。

平川君はこのレヴィナスの哲学を独特の仕方で血肉化している。たぶん平川君はレヴィナスの『全体性と無限』も『タルムード四講話』も読んでいないと思う。だが、彼自身の具体的な、市井の人として経験から、レヴィナスの命題とほとんど同じ結論に達した。

私は、平川君が「レヴィナスと同じようなことを言っているからすごい」と言いたいわけではない。レヴィナスもまた、彼自身の生身の、切れば血の出るような経験から、有責性についての哲学を手作りしたのである。それが平川君の哲学と符合した。

それだけ彼らの知見には普遍性があるということなのである。

「愛する」ことより「傷つけないこと」

三砂《みさご》ちづる先生との「子育て」をめぐる往復書簡が終わった。最後に短い「あとがき」を求められたので書いた。

長きにわたって私のまとまりのない話にお付き合いくださった三砂ちづる先生に、まず感謝申し上げたい。

話が最後まで散らかったままで、結論らしいものに手が届かずに終わってしまったのは、子育てという論件がいかに一筋縄ではゆかない難問であるということと、いかに多くの論じ方があるかということをあわせて教えてくれたと思う。

子育てというのは、三砂先生がお書きになっているように、親自身が未熟な状態で始まるものである。そして、子育てを通じて親もしだいに成熟してゆく。そういう動的な過程だ。

未熟な親であるから、それと気づかぬうちに子どもを傷つけてしまうこともある。このことに例外はないと思う。

私は未熟な親として子育てをしてきて、ある時点で「子どもを愛すること」と「子どもを傷つけないこと」では、「子どもを傷つけないこと」のほうを優先させるべきではないかと考えるに至った。

「どうやって子どもを愛そうか」を工夫するより、「どうやって子どもを傷つけないようにするか」を工夫するほうが大切だと思うようになったのである。

というのは、「子どもを愛しているから」「子どものことを心配して」「子どもの将来のことを考えて」という理由で子どもを傷つける親が実に多いということを骨身にしみて知ったからである。

「愛している」という感情的事実は、愛している当の相手を傷つけることを制御できない。それだったら、「愛している」ということにはあまり意味がないのではないか。

それなら、むしろ「傷つけない」ことのほうを気づかったほうがいい。

その結果、私は子どもに対して「敬意を持つ」ことに決めた。この子の中には私の理解や共感を絶した思念や感情がひそんでいる。そのことを素直に認める。そして、無理をしてそれを理解したり、共感しようとしたりしない。

相手が自分の大好きな子どもであっても、その子のために無理はしないほうがいい。無理なことをすれば、それは親の子どもに対する心理的な「債権」になるからである。「私はこれだけ無理をして、想像力を発揮して、自分の価値判断を抑制して、あなたのことを理解し、共感し、受容しようと努力してきたのだ」というふうな言葉づかいで自分の「子どもに対する愛情」を（口に出さないまでも）語ってしまうと、その「努力」の分だけ親は子どもに対して「貸しがある」という気分になる。「貸し」があれば、どこかで「回収」したくなる。

だから、「あなたのためにこれだけ努力してきたのだ」という言葉を親は決して子どもに向けるべきではない。それは、子どもを傷つける度合いにおいては「誰に食わせてもらっていると思っているんだ」という言葉とそれほど変わらない。

今の世の中では「愛する」ということが人間の感情のあり方としては至上のもののように思いなされているようだが、ほんとうにそうなのだろうか。

私はそれよりも「敬意を抱く」ことのほうが感情生活においては大切であり、困難なことではないかと思う。

人間は他人から熱烈に愛されていても、それに気づかないということはある。しかし、他人から深い敬意を抱かれていて、それに気づかないということはまずない。

敬意にはどんな感情表現よりも強い伝達力があるからだ。敬意は、愛情よりもはっきりと相手に伝わる。たぶん憎悪よりも、羨望や嫉妬よりも、はっきりと伝わる。

「鬼神を敬して之《これ》を遠ざく」という言葉が『論語』にあるが、これはコミュニケーション不能の相手であるはずの「鬼神」でも、人間が示す敬意には反応するということを教えてくれている。

なによりも、敬意には「これだけ敬意を示したのだから、見返りをよこせ」という「債権督促」メッセージが含まれていない。敬意はただの敬意だ。何の底意もない。

メッセージがあるとしたら、それは「私はあなたを傷つけたくない」ということに尽くされる。

もちろん、それでも未熟な親が子どもを傷つけてしまうことは止められないだろう。

しかし、かなり抑制することはできると思う。

子どもに対して敬意を以て接すること。

子育てについて語った言葉は無数にあるが、このことを最優先に語る人があまりいないようなので、子育てについて長々と書いて来た最後の一言として、ひとことだけ書きとめておきたい。

ほんとうの意味での自立とは？

『現代思想』が鷲田清一特集を組んだ。私も寄稿を依頼されたので、鷲田さんの哲学について気合いを入れて書いた。

まずタイトルを書いたが、「鷲田さん」と呼んだり、「鷲田先生」と呼んだり、「わっしー」と呼んだり、呼び方は一定しない。さすがに本人に向かって「わっしー」とは言わないけれども、共通の友人たちと話すときはたいてい愛情をこめて「わっしー」と呼んでいる。「わっしー、元気にしてるかな」「わっしーはまだ仙台まで通ってるのかな」とか。

鷲田さんと最初にお会いしたのは2007年11月30日のことである。新聞社の主宰で対談のテーマは「幼児化する日本社会」というものだった。企画書には「現代を代表する二人の思想家が『オトナのなり方』を処方する」と書いてあった。

企画者には申し訳ないけれど、「大人になるハウツー」のようなものがパッケージされた情報としてどこかにあって、それを学習すれば「大人になれる」というようなものではない。

だから、企画的には空振りになったかもしれないけれど、「成熟と未熟」をめぐる対談自体はとても面白かった。これほど話が通じる人がこの世にいるとは思わなかったくらいに面白かった。


その時に鷲田さんから伺った話の中で一番印象に残っているのは「インターディペンデント（interdependent）」という言葉だった。

《集団生活ってインターディペンデント（相互依存的）にしかあり得ないんです。自立しているというのは決してインディペンデント（独立的）なのではない。インターディペンデントな仕組みをどう運用できるか、その作法を身につけることが本当の意味での自立なんじゃないかな。》（『大人のいない国』、プレジデント社、２００８年、

17頁）

この短い一節のうちに鷲田さんの哲学の「核」といってよいものが含まれていると私は思った。

相互依存の仕組みを運用することが「本当の意味での自立」なのだという命題に絡みつくように、ここで鷲田さんは「作法」と「身につける」という言葉を使っている。これが鷲田哲学の最も個性的な部分であり、そして私が最も深く共感するところである。

「作法」というのは何世代にもわたる経験知が集積してかたち作られたものである。哲学用語ではない。だが、「作法」には哲学的な対義語がある。その語そのものは哲学用語ではないのだが、その対義語は哲学用語であると言うと不思議がる人がいるかもしれないけれど、世の中には時々そういうことがある。

鷲田哲学の勘どころはキーワードの多くが因習的な哲学用語ではないということである。だが、その非哲学的キーワードを手がかりにして、鷲田清一は伝統的な哲学体系に取り組み、解読し、読み替え、脱臼させる。その手際は鮮やかというしかない。

話を戻す。「作法」の対義語とは何かという話だった。「作法」の対義語は「原理」である。驚く人がいるかもしれないが、そうなのである。

原理を掲げる人は、いついかなる場合も首尾一貫している。どのような問題も原理の名において一刀両断する。相手が強くても弱くても、論理的でも没論理的でも、精密でも粗雑でも、原理の人はそんなことを気にしない。

「ゴルディアスの結び目」を剣で両断するアレクサンドロス大王のように問題を鮮やかに斬り捌《さば》く。爽快であるし、原理の人の言い分を聞いていると、ある種の全能感を覚えることもある。

鷲田さんの「作法」はその対極にある。それは「そのつどの当意即妙の対応」と「手際の精妙さ」を大切にするという点で、まったく原理主義的でない。

しかし、これに相当する哲学用語や、「作法」を重んじる哲学流派も、西欧の哲学史には存在しない。

「作法」は集合的な経験知によってかたち作られる。「身につける」というそれに続く言葉から知れるように、作法は身体に深くに内面化する。内面化し、血肉化してはじめて使うことができる。

「身につける」というのは「叡智的に理解する」ということとは違う。だから「身についた知恵や技術」はうまく言葉にすることができない。

「言葉にすることはできないのだが、動作としてはできる」のである。驚くことはない。私たちは幼児の時から、そういうプロセスを繰り返して身体の使い方を覚えてきたのだから。


私は長く合気道という武道を修行してきたが、武道に熟達するというのは動作が先で言葉が後である。稽古を重ねているうちに、ある日、自分の身体にそのような部位が存在することさえ知らなかった部位を感知し、それを操作している自分に気がつく。それは計画的に習得できるものではない。いつの間にか会得していたのである。自分が何をしているのか、うまく言葉で言うことができないが、それまでできなかった何かができるようになっている。修行とはそのことの繰り返しである。

鷲田清一さんが言う「作法」もつくりは同じである。まず身体知として身につき、使うことができるようになる。

「インターディペンデントな仕組み」というのは、人間社会すべてのことである。広くは世界もそうだし、国家もそうだし、自分が属する組織もそうだし、家庭もそうである。

そこでどう生きるか。その時にまず必要なのは、「原理」や「当為」や「真理」や「歴史を貫く鉄の法則性」などではない。「作法」である。いつの間にか身についた知恵と技術である。

「原理」の類は、気の利いた人なら一冊の書物を読んだだけで使いこなすことができる。しかし、「作法」はそうはゆかない。長い歳月をかけて、さまざまな修羅場を踏んで、傷ついたり、傷つけられたり、屈辱感を味わったり、味わわせたり、救ったり、救われたりしてきた数多くの経験の成果として、段階的にしか身につけることができない。

作法を身につけるためには、必要なものが二つある。

一つは感度のよい身体である。「インターディペンデントな仕組み」のうちで適切な立ち位置を選び、適切なふるまいをするためには、「いつ、どこにいて、何をなすべきか」が直感的にわかる感度のよい身体を持つことが必須である。

いるべきでない時、いるべきではない場に立ち、してはいけないことをすると「危険を知らせるアラーム」が激しく鳴動する。いるべき時、いるべきところに立ち、なすべきことをなしているとその耳障りな「ノイズ」が消える。

人間の身体はそのように構造化されている。単細胞生物でも、自分を捕食するものの接近は感知できる。人間にできないはずがない。

どれほどかすかなものであれノイズを感知し、それが静まるような動線を探り当てることができるのが感度のよい身体である。

武道ではこれを「機を見る心」と言う。柳生宗矩《やぎゅうむねのり》の『兵法家伝書』にはこうある。

《一座の人の交りも、機を見る心、皆兵法也。機を見ざればあるまじき座に永く居て、故なきとがをかふゝり、人の機を見ずしてものを云ひ、口論をしいだして、身を果す

事、皆機を見ると見ざるにかゝれり》

人々との交わりの場に必要なのは「機を見る心」である。

自分がいるべきでないところにいて、すべきではないことをなし、言うべきではないことを口にして、これまで多くの人が命を落とした。

実際には、そういうことをしていると「今ではない」「そこではない」「それではない」という危険信号が激しく鳴動していたはずなのだが。

しかし、それを聴き取れなかった人、聴いたけれども耳を塞いだ人が死活的なトラブルに巻き込まれる。武芸者はそのような無用の災厄を避けなければならない。場が自分を呼んでいる時に、呼ばれている場に赴き、鷲田さんの好きな表現を借りれば「一差し舞う」。それだけに徹する。

作法の会得に必要なもう一つのものは精度の高い文体である。感度のよい身体が感知するのは「言葉にならないもの」である。

先ほどの例を繰り返せば、アラームの音量の増減のようなものである。その経験はデジタルな記号体系のうちにはうまく収めることができない。認知し、理解し、分類し、所有するという他動詞的なふるまいにはなじまない。身体の経験はアナログな連続性のままに、その瑞々《みずみず》しさ、生々しさを損なわないように、そっと言葉に置き換えなければならない。

その精密な作業のためには、柔らかく、しなやかで、多孔的で、温かい文体がどうしても必要になる。私はそれを「精度の高い文体」と呼ぶ。

鷲田さんは感度のよい身体を持って生まれてきた。それは『悲鳴をあげる身体』『「聴く」ことの力』『皮膚へ 傷つきやすさについて』『「弱さ」のちから』『京都の平熱』『素手のふるまい』『二枚腰のすすめ』といった著作のタイトルに皮膚の経験が繰り返し用いられていることからも知れるはずである。鷲田さんは「皮膚で哲学する」人なのである。

皮膚感度のよさ、これはおそらく鷲田さんにとって天性のものである。でも、その皮膚での経験を精密に叙するためには、精度の高い文体が必要だ。

そして、こちらは手作りしなければならない。その困難で、独創的な仕事を鷲田さんはみごとにやり遂げたと私は思う。

感度のよい身体と、精度の高い文体の二つを武器にして、鷲田さんは自分の哲学を創り上げた。これはほんとうに独創的な仕事だったと思う。

ただし、これは鷲田さんだけのものであって、余人が模倣することを許さない。だから、これからあと「鷲田派」や「鷲田主義者」が哲学史の上に登場することは決してないはずである。

鷲田さんの哲学は鷲田清一というただ一個の存在によって奇跡的に一回的に現れたものであり、後世の読者たちはその光芒《こうぼう》をたどることで満足しなければならない。

わからないことはどんどん訊いたほうがいい

韓国のある出版社から「韓国オリジナルの本」を出すことになった。先方から質問を送ってもらって、それに私が答えて、それで一冊にするという趣向である。

その中に面白い質問があった。「メンターはどうやって見つけたらいいのでしょう?」というものである。

「最近はオンラインでのコミュニケーションが活発になったおかげで、物理的に遠く離れている人をメンターとする人もいたりします。韓国では〝オンライン先輩〟〝オンラインメンター〟というような言葉もあります。良いメンターとメンティ、あるいは望ましい師匠と弟子の関係とはどのような形なのでしょうか?」

以下が私からの回答。

メンターにはいろいろな種類がある。生涯師として仰ぎ見て、ずっとその後について ゆく人もいるし、一時的にA地点からB地点まで移動するときの道案内をしてくれ ただけの人もいる。

例えば、広い川の前に来た時に、渡し船が来て船頭さんに「乗るかい?」と誘われて、それに従って、向こう岸に渡って、そこで別れたとしても、その船頭さんがいなければ「向こう岸」には着くことができなかった。それなら、この船頭さんもメンターの一人である。

講道館柔道の創始者嘉納治五郎《かのうじごろう》が柔術を学ぼうと思い立ったのは明治10年(1877年)、彼が17歳の時のことである。しかし、明治維新の直後で、ほとんどの古流武道はもう教える人も学ぶ人もなく、戦国時代以来の道統は消滅しかけていた。

当時、失業した柔術師範たちは骨接ぎで生計を立てていたので、治五郎は、あちこちの骨接ぎ医を訊ねては「柔術をご指南願えないか」と頼んだが、どこでも「もう教えていない」と断られた。

ところが、ある時出会った八木貞之助という骨接ぎ医が「私はかつて天神真楊流という柔術を稽古していたが、今は教えていない。だが、道友の福田八之助はまだ弟子をとっているらしいから紹介しよう」と言ってくれた。治五郎はそこで福田に就いて天神真楊流を学び、福田が没した後は同流の磯正智《いそまさとも》と起倒流の飯久保恒年《いいくぼつねとし》に就き、明治15年に自ら一流を開いて、講道館柔道と称した。

福田と磯と飯久保の三人は実際に嘉納治五郎に柔術を教えたわけだから当然彼の「メンター」と呼んでいい。私は八木も「メンター」に数えてよいのではないかと思う。その人がつないでくれなければ「その先」に進めなかったという意味では、彼も立派な「メンター」である。先ほどの例で言うなら、「渡し船の船頭さん」だ。

「メンター」というものをあまり大仰にとらえないほうがいいと私は思う。就いて学ぶ以上は「生涯にわたって尊敬し続けられる師」でなければならないとメンターのハードルをあまり高くすると、「この人もダメ、この人もダメ」と次々と排除しているうちに、最終的に「ついに死ぬまで誰にも就いて学ぶことがありませんでした」ということになりかねない。

だから、私はメンターという言葉をもっと広義に用いてよいと思う。

そこには「生涯の師」も含まれるし、「渡し船の船頭さん」も含まれる。

学ぶ側も「オープンマインデッド」でなければならない。「自分で立てた厳しい条件を満たす人以外からは何も学ばないと決意した人」と「出会うあらゆる人から、それぞれの知見を学ぶことができる人」とではどちらが知的に成熟するチャンスが多いか、考えるまでもないだろう。

そもそもどうして「学ぶ」という時に、そんなに肩ひじを張るのだろうか。

以前、韓国から来た青年たちと歓談した時にも、「内田先生に何か質問がある人はいますか?」と司会の朴先生が訊ねた時に、「訊きたいことはあるのですが、ここで先生から答えをもらってしまうと、自力で問いに向き合うチャンスを失うことにはならないのでしょうか?」という発言をした若者がいた。

またずいぶん堅苦しい考え方をする人だな……とちょっと驚いた。気にせずに、どんどん訊けばいい。質問して答えを得たからといって、別にその答えに居着く必要はないのだから。「なんかこの答え、違うみたいだな」と思ったら、聞き流せばいい。「なるほど、そういう考え方もあるのか」と思ったら、脳内のデスクトップのどこかに転がしておけばいい。そのうち何かの役に立つことがあるかもしれないし、まったく役に立たないかもしれない。そんなことは先にならないとわからない。

もしかすると、「人にものを訊く」ことを「借りを作る」ということのように思っているのだろうか。

「コンサルタント」とか「アドバイザー」とか、質問に答えることでお金を取ることを商売にしている人がいまはたくさんいるから。うっかり質問すると、その人に対して「お金」ではないにしても、「敬意」とか「遠慮」とかいう「借り」ができる。それは面倒だから、訊かないでおこう……というふうに考えても不思議はない。

だが、それは違う。「答えを与えること」を商売にしている人たちは、相手が誰でも問いが同じなら、同じ答えを与える。でも、メンターは違う。同じ問いでも、相手によって答えを変える。

以前、私は合気道の多田宏先生にロングインタビューをしたことがあった。もう20年以上前のことである。その時は先生の道場の一部屋で長い時間話をした。インタビューを切り上げて、二人並んで道場の玄関から出ようとしていた時にふと思いついて、「先生、武道において一番大切なことはなんでしょう?」というとんでもない質問を向けたことがある。すると、先生はすっと目の前にあった「脚下照顧《きゃっかしょうこ》」という板を指さして、「これだよ、内田君。『足下を見ろ』だ」と答えられた。

すごいなあと私は思った。まさに私からの質問を見透かしたように、先生は間髪を容れずにぴたりとはまる答えをされたからだ。さすが達人というのはたいしたものだと思い、この話をあちこちで書いたり、門人に話して聞かせたりしてきた。

それから何年か経ってから、もしあの時私が道場の玄関ではなくて、例えば商店街の中の道を歩いている時とか、駅の改札口で、同じ質問をしたら、先生は何と答えただろうと、ふと思ったのである。

その時にはもしかすると先生は「歳末大警戒実施中」とか「そうだ 京都、行こう。」

だよ、内田君」とか「『直感に従え』とかいうポスターをさっと指さして、「『機を見ろ』だよ、内田君」とか言ったのではないか……。そう思ったら、ますます「達人というのはたいしたものだ」と思うようになったのである。

多田先生の答えはコンサルタントとかアドバイザーが機械的に出力する「できあいの答え」とはまったく別のものだったのだと思う。その刹那に、その相手に対して、その場でしか生じることのない「唯一無二の答え」をする。

人にものを訊くというのは、本来はそういう経験を求めてのこと。だから、人にうっかり質問をして答えを得たら、自分の成長が止まるのではないかなんて、心配することはないのだ。

第5章

「この世ならざるもの」の存在を知る

身体は力の「淵源」ではなく「通り道」

先般、朝の8時半からお昼まで合気道の稽古をして、午後は学校図書館の司書たちに講演をして、夜7時からはオンラインで釈徹宗先生と「お盆の迎え方」というテーマでお話をした。朝から晩まで忙しい一日だった。その時ふと「この三つはカテゴリー的には同じものだな」ということに気づいた。朝は武道、午後は図書館、夜は死者と供養の話。なるほど、私は「この分野」の専門家だったのだということが腑《ふ》に落ちた。

何の専門家かというと、「この世ならざるもの」とこの世の中をとりもつ専門家である。「この世ならざるもの」とのインターフェイスで、人はどうふるまうべきかということについての技術と知識の専門家である。

今の新自由主義的な政治家やビジネスパーソンが最も憎んでいるものは「この世な

らざるもの」である。あの人たちは現世的な利益にしか興味がない。「この世ならざるもの」についてては関心がまったくない。私とは話が合わないのも当然である。

「道場」というのは、もともとは仏教の用語である。仏教修行をする場所のことを言う。

武道の修行の目的も、本質的にはそれと変わらない。筋骨を強くしたり、巧みに技を使ったり、動きを俊敏にすることではない。自分の身体を「良導体」に作り上げてゆくことである。

「良導体」というのは、どこにもこわばりや詰まりや緩みのない調《ととの》った身体のことである。その身体を通じて、外部から到来した巨大な自然のエネルギーが発動する。自分の身体が力の淵源《えんげん》であるわけではない。自分の身体は力の「通り道」にすぎない。だから、我執を去って、透明な心身を作り上げることが求められているのである。

うるさく「自我」や「主体性」や「アイデンティティ」がのさばり出てくると、超越的な力の発動が阻害される。だから、阻害要素を取り除いて、心身の「通り」を良くする。それが武道的な意味での修行である。その点では、宗教とあまり変わらないと思う。

宗教の場合、自分がどれだけ宗教的に成熟したかを自己評価するのはかなり難しいと思う。だが、武道の場合は、それが外形的にわかるのが取り柄である。細くて小さな女の子が大の男を投げてしまった後に、「あら、こんなことができるようになっちゃった」と自分で驚くということがある。その時に、実感として自分の身体が「自然の巨大な力の通り道」としてどれくらい仕上がったかがわかる。それは別に筋肉が大きくなったとか、動きが速くなったとかいうことではない。心身の透過性が高まり、自分の身体を通って、野生の、自然の、巨大な力が発動するようになったからである。そのような心身を調えてゆくために稽古をする。

というのが、現段階における私の武道理解である。そういうことを武道論として書いて、発表している。さいわい、今のところ「それは違う」と異議を申し立てる人はいないようなので、しばらくはこの理解に基づいて稽古を続けるつもりでいる。

特定の何かの宗派に入っているわけではないが、私はもともとかなり宗教的な人間だと思う。以前から「超越的なもの」「この世ならざるもの」とのやりとりが人間にとって一番大事なことではないかと思っていたからである。

この「やりとり」については伝統的に作法が決まっている。「この世ならざるもの」が境界線を越えて人間の世界の中に入ってきた時には、十分な距離をとり、「ちょっとすみませんけれども、あんまりご無体なことはしないでくださいね」とそっと押し戻して、ありがたく帰っていただく。あるいは、外からやってくるものが自分たちの世界に「善きもの」をもたらすように祈る。

それが「鬼神に仕える」基本的な作法である。古代からずっとそう教えられている。私はそういう経験的な叡智には十分に敬意を払うことにしている。

村上春樹が描く「この世ならざるもの」

村上春樹は自分のことを「自分は特殊な職能民だ」と言っている。どのような職能かというと、地下深く潜ることができる仕事である。ふつうの人は地下一階までしか行くことができないが、彼は地下二階まで降りることができる。地下二階には太古から流れ続ける「水脈」のようなものがある。その流れから自分の手持ちの器でいくばくかのものを掬《すく》い取って持ち帰る。地下深くにあまり長くいると時に命にかかわるので、用事が済んだらさっさと現実世界に戻ってきて、地下二階で経験したことを物語として語ってゆく。それが自分の仕事であると村上春樹は書いている。

ただし、その仕事は誰にでもできるというものではない。それを職能とする少数の人間がいる。自分はたまたまそういう人間である。そういうことを文学論やインタビューの中で素直に語っている。これはメタファーではなくて、ほんとうにそうだと思う。

「境界線の向こう側まで行って、そして戻ってくる」。村上春樹の書く物語はある意味全部そうである。愛する誰かが境界線の向こうに消えてしまって帰ってこない話、境界線の向こうから何か危険なものがやってくるので、それを押し戻す話。それが繰り返される。

だから、村上春樹の小説にはほぼ全部「幽霊」が出てくる。「幽霊」というか「この世ならざるもの」が登場してくる。主人公はそれとどうやって応接するかいろいろ工夫する。この話型が決定的になったのは、河合隼雄との対談『村上春樹、河合隼雄に会いにいく』からのような気がする。

この対談の中で、村上春樹は河合隼雄に「源氏物語に出てくる悪霊とか生霊とかいう超現実的なものは、当時の人々にとって現実だったんでしょうか」と質問する。河合隼雄は「あんなものは全部、現実です」って即答する。

『源氏物語』には生霊が出てくる。葵上や夕顔は六条御息所の生霊に呪い殺される。霊の力で人が死ぬのは、平安時代においては現実的だったと河合隼雄はさらりと言い切った。この断定が村上春樹に大きな自信を与えたと私は思う。なるほど、自分が書いていた「幽霊」の話はすべて「現実」のことだったのだ、と。

村上春樹は自分の文学的系譜をたどると上田秋成に至ると言っている。近代文学を全部飛ばして、現代からいきなり上田秋成につながる。

上田秋成の書く話はどれも「この世ならざるもの」が出てくる。それが人を殺したり、生きる人間と心を通わせたりする。その上田秋成の直系の文学的系譜に自分は連なると村上春樹は言う。ご本人がそう言うのだから、そうなのであろう。

上田秋成も当時は孤立していた作家だった。当時の儒者たちは合理主義者であるから、上田秋成の「幽霊の話」を冷笑した。そんなものは病人の妄想だ、と。でも、上田秋成は「この世ならざるもの」には固有の現実変成力があり、それで人間は生き死をするということに確信を持っていた。

上田秋成の文学的価値の再評価を村上春樹がするより前の1960年代に、日本文学の淵源はここにあると言った人がいた。江藤淳である。

江藤淳はプリンストン大学に留学して、そこで日本文学の授業をしていた。英語で授業をし、英語で論文を書き、滞在の終わりの頃には英語で夢を見たりするくらい英語の世界に浸っていたのだが、英語ではほんとうに自分の書きたいことは書けないということに気がついて、日本に帰ってくる。

自分はかなりうまく英語を操ることができるし、それで自分の意見を述べたり、対話したりすることはできる。でも、英語では新しい文学を創造できないということがわかった、だから日本語の世界に戻るのだと江藤淳は書いている。

日本語の淵源がある。江藤淳はそれを「沈黙の言語」と呼んだ。太古から現代まで、日本列島で話されたり、書かれたりしてきたことすべての言葉の全部がそこに集積されている。巨大な、底なしの淵源である。日本語を母語とする人間は誰でも自由にそのアーカイブにアクセスすることができる。

非英語話者は英語話者たちと滑らかにコミュニケーションすることまではできるが、自分自身の中に英語の「沈黙の言語」を持っていない。だから、英語では創造することができない。ごく少数の語学的天才を除けば、このアーカイブにアクセスできるのはそれを母語とする人間だけである。

おのれの「沈黙の言語」を求めて日本に帰ってきて、江藤淳は唐突に上田秋成の話をしはじめる。井原西鶴や近松門左衛門は論じるに足りない。日本近代文学の頂点を画すのは上田秋成だ、と。もし日本から世界文学が出るとしたら、それは上田秋成の系譜からしか出てこないだろう。そして、その予言の60年後に村上春樹が登場するのである。不思議な符合という他ない。

村上春樹が最初に「この世ならざるもの」とのかかわりを書いたのは『羊をめぐる冒険』である。この作品を書き上げたことで村上春樹は専業作家になってやっていける自信がついたと書いている。それまではジャズ喫茶を経営する兼業作家だったのだけれど、この時を境に専業になって、朝から晩まで好きなだけ小説を集中的に書ける環境に身を置けるようになった。そして、毎日コツコツと鑿《のみ》で岩を砕いているうちに、自分が「地下水脈」に近づいたことを実感する。そうインタビューで話している。『羊をめぐる冒険』は結果的に世界文学になったが、それはこの作品が世界文学の「水脈」に連なる作品だったからである。

『羊をめぐる冒険』には同じ系譜の世界文学がいくつもある。直近のものはレイモンド・チャンドラーの『ザ・ロング・グッドバイ』。そのチャンドラーにもスコット・フィッツジェラルドの『ザ・グレート・ギャツビー』という先行作品がある。この三つは「ほとんど同じ話」である。

『羊をめぐる冒険』の主人公「僕」には「鼠《ねずみ》」という親友がいるけれど、これは「僕」のアルターエゴである。傷つきやすくて、純粋で、道徳心にやや欠けたところがあるけれど、きわめて魅力的な青年である。それは「僕」の「少年時代」、アドレッセンスなのである。その幼い自分自身と決別しないと「僕」は大人になれない。アルターエゴは「僕」がこのタフでハードな世界で生きていくために切り捨てた、自分の一番柔らかい、一番優しい部分なのである。

その主人公のアドレッセンスを人格的に表象したのが、「鼠」であり、『ザ・ロング・グッドバイ』のテリー・レノックスであり、『ザ・グレート・ギャツビー』のジェイ・ギャツビーである。彼らはみな大人になるために主人公が切り捨てていったアドレッセンスの代理表象である。アルターエゴは主人公に向かって「最後に一つ君に頼みがあるんだ」と言ってくる。主人公がそれを果たすとアルターエゴは永遠に消え去る。この三つはどれも「そういう話」である。

『羊をめぐる冒険』が1982年、『ザ・ロング・グッドバイ』が1953年、『ザ・グレート・ギャツビー』が1925年。だが、これにも先行作品がある。アラン・フルニエの『ル・グラン・モーヌ』である。これは1913年の作品。主人公はフランソワという15歳の少年。彼の前に背が高く、魅惑的で、自由奔放なオーギュスタン・モーヌという少年が現れる。フランソワは彼に魅了されて、冒険の日々を共にするのだけれど、ある日オーギュスタンは去って、永遠に姿を消す。

アルターエゴたちが永遠に姿を消すのは当然である。それは自分自身のアドレッセンスだから。少年時代が終わって、「つまらない大人」たちの仲間になる時に、その黄金の日々を惜しむ気持ちが「ある日永遠に僕の前から消えてしまう魅惑的で、道徳心に欠けた、幼児的な少年」を造形させたのである。

つまり、20世紀に入って「同じ話」が四つ書かれていることになる。その前を探せば、おそらく『ル・グラン・モーヌ』にも先行作品があるはずである。あって当たり前なのだ。少年はいつか大人の仲間入りをしなければいけない。通過儀礼を通過して、自分の輝かしい少年時代と永遠に決別しなければならない。その喪失の悲しみと痛みを癒やすためには「少年時代」を人格的に表象する魅惑的なアルターエゴとの別れの物語がどうしても必要だったのである。

たぶん「そういう話」は世界中を探したら何千とあるはずである。だから、それは「鉱脈」なのである。すべての男たちの「こういう物語で俺の外傷を癒やしてくれ」という切望に応えるものなのである。だから、そのような物語は母語の境界線を越えて世界中で読まれるチャンスがある。

輝かしい少年時代に別れを告げて「つまらない大人」になってしまった世界中の男たちはいつの時代もこのタイプの物語を求めている。だから、このタイプの物語を書くには男性作家限定だと思う。女性作家のもので世界文学の「正典《カノン》」に列する「アルターエゴとの別れの物語」を私は読んだ記憶がない。もしかしたらあるかもしれない。ご存じの方がいたらご教示願いたい。

学校は「格付け」するところではない

今の学校は子どもたちにテストを課して、その成績で「格付け」する評価機関のようなところになっている。しかし、私は子どもたちを査定して、評価して、格付けするというのは、学校教育の目的ではないと思う。学校は子どもたちの成熟を支援する場だと思う。

子どもというのは「なんだかよくわからないもの」なのである。それでいいのだ。そこからはじめるべきなのだ。子どもたちをまず枠にはめて、同じ課題を与えて、その成果で格付けするというのは、子どもに対するアプローチとして間違っている。

昔の日本では子どもたちは七歳までは「聖なるもの」として扱うという決まりがあった。渡辺京二の『逝きし世の面影』には、幕末に日本を訪れた外国人たちが、日本で子どもたちがとても大切にされているのを見て驚いたという記述がある。だが、これは日本人が子どもをとても可愛がっていたというのとはちょっと違うと思う。可愛がっているのではなく、「まだこの世の規則を適用してはいけない、別枠の存在」として敬していたということではないかと思う。

中世以来、伝統的にはそうなのである。子どもは七歳までは「異界」とつながる「聖なる存在」として遇された。だが、その年齢を過ぎると、そのつながりが切れてしまう。アドレッセンスの終わりというのは「異界とのつながり」が切れてしまう年齢に達したということである。そうやって人間は「聖なるもの」から「俗なるもの」になる。

だから、「この世ならざるもの」とこの世を架橋するものには童名を付けるという習慣がある。「酒呑童子《しゅてんどうじ》」とか「茨城童子」とか「八瀬童子」とか。彼らはこの世の秩序には従わない存在である。

牛飼いもそうだ。牛飼いはその当時、日本列島最大の獣である牛を御する者であるから、異能の持ち主、聖なる存在である。だから、牛飼いは大人でも童形をして、童名を名乗った。京童《きょうわらんべ》もそうだ。別に彼らは子どもではない。大人なのだけれど、「権力にまつろわぬ人たち」だから「子ども枠」にカテゴライズされた。

船もそうだ。船には「なんとか丸」という童名を付ける。船は海洋や河川という野生のエネルギーが渦巻く世界と人間の世界の「間に立つ」ものである。野生と文明の境界線上に生きるものだから「子ども」枠に類別される。

刀剣もそうだ。刀剣には童名を付ける。能『土蜘蛛《つちぐも》』の蜘蛛切り丸や『小鍛冶』の小狐丸とか、名刀には童名を付ける。私は居合をやるので、自分の刀を持っている。刀を構えると、刀は異界とつながっているということが実感される。刀を正眼に構えると、野生の巨大なエネルギーが刀を通じて発動するのがわかる。自分の身体がそのエネルギーの通り道であるということが実感される。

実際に、刀で兜《かぶと》を斬った人がいる。もちろん、人間の筋力では兜なんて切れるはずがない。でも、刀が深々と切り込んだ跡がある兜がいくつも残っている。人間の力ではできるはずがないことが刀を持つとできる。それは、刀を通って発動するのが人間の力ではなくて、自然の力だからである。それは真剣を持って稽古したことがある人なら誰でも感じることだと思う。刀は自然の力と人間の力の間を架橋する。だから童名を付ける。
そういう伝統的な「子ども」観が日本にはあった。私はこれが今まったく顧みられなくなったことを嘆いている。

学校というのは、この「聖なるもの」である子どもを迎え入れ、彼らをゆっくりと「聖なるもの」から切り離して、「この世」に誘導してゆく装置である。子どもたちが本質的に「謎めいたもの」であるのは、彼らが「異界」や「外部」とつながっているからである。それを切り離して、こちらの世界に連れてくるという、とてもデリケートな「切り離し作業」を学校では行わなければならない。

子どもたちが「聖なるもの」である以上、教室もまた道場やお寺の本堂や神社の拝殿と同じく「超越的なもの」や異界との交流の場だということになる。

『周礼』には士大夫《したいふ》が学ぶべき「六芸《りくげい》」が挙げてある。礼、楽《がく》、射、御《ぎょ》、書、数。君子が学ぶべき一番のものが礼である。「鬼神」に仕える作法のことである。「この世ならざるもの」に仕え、それを適切に敬するための作法を古代の君子はまず学んだ。

それから第二が楽。音楽である。音楽とは「もう聴こえなくなった音」と「まだ聴こえない音」の両方を今ここで聴き取れないと聴取することも、演奏することもできない技芸である。リズムもメロディも「過ぎた時間」と「未《いま》だに到達しない時間」の両方に意識の触手を伸ばすことができる人間にしか感知できない。時間意識の拡大によってはじめて人間は過去を顧み、未来を予測することができるようになる。そして、そのタイムスパンの中で、不安や後悔といった感情を知り、因果や矛盾や確率といった概念を知ることになる。

射は「弓を射る」、武道的な身体運用のことである。先に述べた通り、「この世ならざるエネルギー」を調えられた心身を通過させて発動する技術のことである。

御は「獣を御す」、野生獣を馴致《じゅんち》させて有用な働きをさせる能力である。牛飼いがそうであったように、御の術もまた「異界」と「この世」の境界線上に立つ能力である。

日本では武道のことを古くは「弓馬の道」と言った。射と御を合わせたものが武道に当たる。

学校は今では六芸のうち「書」と「数」だけしか教えなくなった。これは子どもたちを最初から「こちらの世界」のフルメンバーとして遇することである。私は、それは違うだろうと思う。学校は子どもたちを「あちらの世界」から「こちらの世界」へそっと移動させる、きわめてデリケートな作業を求める場なのである。半ば野生の存在である子どもたちを文明化していくというプロセスは「アドレッセンスとの決別」を子どもたちに強いることなのだから、しばしば彼らは学校に通うことそれ自体で激しい痛みを経験する。

かつての日本人は、子どもは壊れやすいもの、傷つきやすいものだと知っていたので、丁寧に扱った。異界にまだ半身を残している「聖なるもの」だと知っていたので、子どもを「敬する」仕方をわきまえていた。それはもう現代社会の常識ではない。

それでも、直感にすぐれた教師たちは、学校教育が子どもたちにとって外傷的経験になるリスクを感知して、子どもたちを傷つけないことを優先的に配慮している。けれども、そのような配慮が人類学的な深い意味を持つことを理解している人は教育行政の要路にはたぶん一人もいない。

「ゲノッセンシャフト」としての凱風館

2011年に神戸に凱風館という道場を建てた。一階が道場で二階が自宅である。道場では合気道、杖道、居合、新陰流などいくつも武道を稽古しているが、それだけではなく、能楽、義太夫、上方舞、落語、演劇、パンソリ、オペラなどの公演を行っているし、人を招いての講演会もしている。その点では、公共の武道場やホールと同じである。違うのは、凱風館では、私が「やりたいこと」だけしかやらないということである。ここは「貸しホール」ではない。

そうではなくて、凱風館は一種の「コミュニティ」なのである。

つい先日も門人たちと連れ立って海水浴に行ってきた。十数人の団体なので、旅館一棟を貸し切りにしてもらう。みんなで泳いだり、BBQをしたり、お酒を飲んだり、おしゃべりしたりして二泊三日を過ごしてきた。

凱風館は武道の道場のはずなのだが、私が作った時のコンセプトは「昭和の会社みたいなところ」であった。

若い人はもう知らないだろうけれど、私が子どもだった頃、昭和20〜30年代の日本の企業はどこも終身雇用・年功序列制だった。ある種の疑似家族だった。だから、父の部下たちはよくわが家にご飯を食べにきた。みんなで麻雀をやったり、碁を打ったり、ハイキングに行ったり、山登りしたり、会社の海の家へ行ったりした。その集まり方が私はとても気に入っていた。

しかし、日本の企業はその後、終身雇用・年功序列制を「旧弊」として廃棄し、アメリカからきた成果主義と能力主義に衣替えした。もう就職してから定年まで一つの会社に勤めるという雇用形態ではなくなった。それと同時に、会社が疑似家族であることもなくなった。もともと近代化・都市化によって、かつての地縁社会・血縁社会が消滅し、共同体機能をかろうじて代替していた疑似家族もなくなったのであるから、都市の住民たちはアトム化・砂粒化する他ない。

そういうのはよろしくないと私は思っていた。そこで、もう一度、相互支援・相互扶助の共同体を立ち上げようと考えた。もう一度、昔の会社のような疑似家族的な「緩いコミュニティ」を再現してみたくなったのである。

地縁・血縁共同体は、ゲマインシャフト（Gemeinschaft）である。生まれた時からそこに登録されており、自由意思で出入りすることができない。個人はその共同体に深く繋縛《けいばく》されている。

企業は、ゲゼルシャフト（Gesellschaft）である。人為的に作られた集団であり、成員たちは打算的な契約によって結ばれ、互いを手段として扱う。

その中間に、ゲノッセンシャフト（Genossenschaft）というものがある。地縁血縁のような自然発生的なものではなく、成員の自由意思によって成立する共同体である。職人組合や協同組合がこれに当たる。

凱風館がめざしているのは、武道を核とした現代のゲノッセンシャフトである。門人たちは、好きな時に、好きな理由で入門することができる。いたければいつまでもいていいいし、去りたければいつ去っても構わない。メンバーシップとして要求されることは一つだけ。それは凱風館という場に対して敬意を示すことである。師範である私に対して、ではない。私が師から贈られた知識と技術を門人に伝える場たる道場に対しては敬意を払ってほしい。

凱風館にはさまざまな「部活」がある。最初にできた部は甲南麻雀連盟。私が総長で、月次例会を開いて、年間王者めざして戦う。凱風館が建つ前、芦屋市立の武道場を借りて稽古をしていた頃にはじまってもう20年近くになる。

それから、みんなでスキーにゆく「ス道会」、聖地を訪ね歩く「巡礼部」、らくちんなところしか行かない「極楽ハイキング部」、歴史的なスポットを訪れて学習する「修学旅行部」、白樺湖畔で馬に乗る「乗馬部」などなど。海水浴も恒例行事である。暮れには餅つきをし、大晦日は越年稽古をして年越しそばを食べる。

そういう行事にフルエントリーしていると、うっかりすると自分の家族よりも長い時間を凱風館の仲間と過ごすようになる。

凱風館がゲノッセンシャフトとして一本筋が通ったのは、2019年に合同墓を建ててからである。

合同墓を建てるというアイデアは、寺子屋ゼミ（これも凱風館の活動の柱で、大学院で行っていた社会人ゼミを退職後も継続している）の時に「お墓」について発表したゼミ生にインスパイアされた。

その発表者は独身の女性で、「親の墓の管理までは自分が責任を持ってするつもりだが、私が死んだ後、私の墓は誰が守ってくれるのか」という問いを口にした。私はそれまで「自分が死んだ後、誰が私を供養してくれるのか」という問いをシリアスに受け止めたことがなかったので、この発言には胸を衝《つ》かれた。たしかに門人やゼミ生の中には独身の人もいるし、子どものいない人もいる。彼ら彼女らにとっては、いずれ「お墓問題」が切迫してくる。どの墓に入ればいいのか、誰が供養をしてくれるのか。

その話をしているうちに「じゃあ、凱風館でお墓を建てましょう」と私が提案した。これならお墓問題は解決する。凱風館はゲノッセンシャフトであるから、この道場で修行する人たちが道統を継いでくれる限り、弔う人はいなくならない（はずである）。

さっそく友人の釈徹宗先生にご相談に伺った。釈先生は池田の如来寺という名刹《めいさつ》のご住職である。先生のところに合同墓を作りたいのですが、と話を始めたら、釈先生も「実は私もそれを考えていたのです」と応じられた。

釈先生の場合は、檀家さんの中にもう跡継ぎがいなくなった方や累代の墓が管理できなくなった方がいる。その方たちのために合同墓を建てて永代供養するというプランを立てているその時に私が凱風館の合同墓の話を持ち込んだのである。

その後、凱風館を設計した建築家の光嶋裕介君に設計を依頼して、如来寺の少し上の山頂の墓地を釈先生にご用意いただいて、如来寺の「法縁廟」と凱風館の「道縁廟」という二つのお墓を並べて建てた。

そこで毎年「お墓見」というものをしている。道縁廟に入る予定の方たちが集まって、釈先生に法要を営んでいただいてから、みんなでシャンペンを飲んで、お弁当を食べる。

まだ門人でここに入っている人はいない(空では寂しいので、とりあえず私の両親の小さな骨壺を納めた)。たぶん私がここに入る最初の人になると思うが、どんなふうに自分が供養してもらえるのか、先取りできるのでたいへんに心地がよい。

「誰が私を供養してくれるのか」というのは重要な霊的な問いである。

能の後ジテは多くが死者の霊であるが、彼らはワキに向かって「跡弔《あととむら》ひて賜《た》び給《たま》へ」と懇請する。その確約を得てはじめて死者は成仏できる。「どうぞ私を供養してください」と言って消えてゆくのが複式夢幻能の基本パターンである。

どうも、死者は生物学的に死んでもしばらくの間は自分について語り継いでゆくことを求めているらしい。その思いに応えるのが供養なのではないか。でも「跡」と言ってもそれほど長い期間ではない。おそらく十三回忌くらいで終わりにしてよいらしい。

以前、父方の祖母の十三回忌の時に、伯父が「みんなももう年を取ったし、遠くから集まるのもたいへんだから、みんなで集まって法事をするのはこれで最後にしよう。あとはうちでやるから」と宣言したのを覚えている。その時、子ども心に「なるほど、供養は十三回忌くらいでいいのか」と思った。

考えてみれば自分も古希を超え、あと10年くらいは生きるつもりでいるが、死んだ後にどれくらいの期間供養してもらいたいか訊かれたら「13年くらいでいい」と答えるのではないかと思う。それくらいになると、同年代の友人たちもおおかた鬼籍に入っていて、私のことを直接見知っている人もそれぞれけっこうな年になっている。だったら、それぐらいでフェイドアウトすればこちらも文句はない。

そもそも年を取ると、いろいろなところが壊れてくる。若い時はどこかが傷んでも、治療すれば元に戻ると思っていたが、この年になると、傷んで、機能を失った身体部位はもう回復しない。だから、すでにちょっとずつ不可逆的に死に始めているわけである。つまり「まだ生きているけれど、死に始めている」という状態にいる。これが生物学的に死ぬまで13年くらい続く。そして、生物学的に死んで、13回忌くらいまでは、私のことを折に触れ思い出して、「内田さんがいたら、こんな時何と言うだろう」と回想されたり、「先生が生きておられたら、こんなことは許さないはずだ」とかいうかたちで生きている人たちの規矩《きく》となったりする。「もう死んでいるのだけれど、まだ死に切っていない」という状態にいる。

つまり、死に始めてから、死に切るまで前後13年、合わせて26年くらいかけて人間は死ぬ。そういうふうに考えるようになった。死というのは死亡宣告というデジタルな生死の境界にあるものではなく、実はアナログにゆっくり死に始め、ゆっくり死に切るのである。

現実世界で生きていくための四つのピラー

天職というのは、必死にキャリア形成をして身につけるものではない。そうではなくて、気がついたらいつの間にかその道のプロになっていたという仕方で人は天職に出会うのである。特にその傾向が強いのは教育者と医療家である。この二つの職業を天職だと感じる人の数はどんな集団にも一定数必ずいる。二つとも集団が生き延びるために絶対に必要な職業だからである。

人類が集団として生きていくために絶対必要な仕事がいくつかあるが、基本的なものは四つだと私は思う。その四つのピラーで人間社会は支えられている。

第一は「物事の理非を判定する仕事」である。あらゆる集団はその内部で起きたトラブルについて、正否の裁きを下す人を求める。長老や智者がその役を引き受けることもあるし、力が強い者がその仕事をする場合もある。

第二が「癒やす仕事」。病気や怪我を治す医療者である。

第三が「教える仕事」。次の集団を担う若者たちに必要な知識や技術を教えて、その成熟を支援する仕事である。

第四が「祈る仕事」、宗教である。人々に「この世ならざる異界」のことを教え、それとの応接の作法を教え、死者を供養する仕事である。

集団が存立するためにはこの四つのピラーが必要不可欠であると私は思っている。基本動詞として言い換えれば「裁く」「癒やす」「教える」「祈る」になる。この四つの基本動詞で人間集団は成立している。それなしでは集団は維持できない以上、それぞれの仕事に心的に惹《ひ》かれる人たちが必ずいるはずである。

どんな集団にも「癒やし系」の人たちはおそらく全体の7~8%はつねにいると思う。「ものを教えることが好き」という人はもう少し多くて、おそらく全体の10%くらいはいると思う。もちろん、この10%の人たちが全員教師になるわけではない。違う仕事に就いていても、何かのもののはずみの時に「ちょっと教師の仕事代わってくれるかな」と頼まれた時に、「あ、いいですよ」と即答してしまう。なんだか自分でもできそうな気がして。

ある女子大が看護学部を作った時に、そこの先生になるナースの方たちと雑誌で対談したことがある。看護教育と女子教育について対談して、終わった後にご飯を食べながら雑談してる時に、いろいろ面白い話を伺った。

ナースというのはなかなかミステリアスな仕事である。いろいろな異能の持ち主がいる。私が対談した方は、今晩越せない患者のそばにゆくと「屍臭がする」のだと教えてくれた。実際に、その通りになる。同僚には、明日の朝まで持たない患者のそばにゆくと「鐘の音が聞こえる」という人がいたそうである。ナースたちの間では「そういうことって、あるよね」で通るのだけれど、もちろんドクターたちはそんな話を信じない。科学的エビデンスがないのだから信じるはずがない。

ところがその病院の近くで大きな事故があって、次々と重傷患者が搬入されてくるということがあった。医療資源には限りがあるから、トリアージをしなければならない。そうなると、もうドクターも仕方がなくなって、この二人のナースを呼んで「この人、屍臭してる?」「鐘鳴ってる?」と訊いてトリアージの判断をしたのだという。そういうことができるような人が医療家になる。

学校にもそういうある種の「ミステリアス」な部分が必要だと私は思う。子どもたちはまだ「野生」に半身を残している。そういう子どもたちを「この世」にソフト・ランディングさせなければならない。そのためには「セーフティネット」が要る。それはいろいろ先生がいて、さまざまな価値観を持っていて、さまざまな教育方法を用いて、一人ひとりの子どもを見る目が違うほうがいい。子どもたちを学校に包摂するためには、何よりも多様性が必要なのである。

今、30万人もの子どもたちが不登校になっているのは、学校の中は子どもたちが「とりつく島」がないからである。学校の価値観が一律で、子どもたちを定型に押し込め、テストの点数で格付けして、成績の良否に基づいて資源配分する。その冷酷な仕組みが子どもたちを傷つけている。

「保健室登校」というものがある。これは保健室が、他の教室と違って、医療原理が支配する空間だからである。医療者の誓言は古代ギリシャの医聖ヒポクラテスが定めて以来、基本的には変わらない。重要な誓言の一つは「相手が自由人であっても奴隷であっても、診療内容を決して変えてはいけない」ということである。医療は商品ではない。金で売り買いするものではない。誰であれ、傷つき病んでいる者に対してはなしうる限りの手立てを尽くす。だから、保健室は学校の中における異世界であり得る。そこには査定や格付けがない。その空間だけ「この世」の格付けが無効化される。

そういう異界が学校の中にできるだけたくさんあるほうがいい。美術室もそうだ。そこは芸術の原理が支配する空間である。美術の先生だけが自分を認めてくれて、美術室だけが息のつける場所だったと後年回想する人は少なくない。

図書室も異界であってほしい。そこでは少なくとも「知」については、教室とはまったく違う度量衡で価値が考量される。「入試に出る」とか「それを知っていると就職に有利」というような基準では、誰も知について語らない。それが図書室である。教室には行きたくないけれど、図書室になら行けるという子どもたちが一人でもいたら、それで図書室はもう十分にその役割を果たしていると私は思う。

これは真剣に言っているのだが、学校教育の本来の意味を考えたら、学校の中にはミステリー・ゾーンがなければならないし、先生たちの一部は「魔法使い」でなければならない。

子どもたちが『ハリー・ポッター』をあれほど喜ぶのは、ホグワーツの魔法学校が秘密だらけで、先生たちがみんな魔法使いだからである。J・K・ローリングの物語は「学校の理想」を描いたことによって世界的なベストセラーになったのである。子どもたちは、この学校に行けば、自分も心に傷を負った時もそれを癒やす人たちに恵まれ、順調に成熟の旅程をたどれるに違いないということを直感したのである。

今の学校で教員たちは「ミステリアス」であることを制度的に禁じられている。それでも、教師たちはその直感に従って、教室に来られない子どもたちのために「ミステリアス」な空間を学校内に創り出してほしいと思う。

自然と文明社会の「境界線」を守る

丹後半島の中に、二人しか住んでいない超限界集落がある。かつて数十人いた集落で、今は80歳を越したおばあさんが二人住んでいるだけだ。

その集落の古民家を買い、改築して住もうとしているご夫婦がいた。改築作業後は週末だけここにきて畑仕事をするつもりでいたところ、そのおばあさんたちに「公民館があるから、この公民館をあなたたちが守ってくれ」と告げられた。

その集落のすぐ上にはもともとお寺があったのだが、廃寺になり、地蔵尊の本尊を公民館に移したそうだ。このおばあさんたちが二人とも亡くなってしまうと、この集落は廃村になり、公民館に安置してあるこの平安時代の御本尊を守る人がいなくなってしまう。

そこで、そのご夫婦に「あなたたち夫婦でこの公民館を守ってください。好きに使っていいから」とお願いしたのである。

そのご夫婦は一部上場企業に勤めているが、御本尊を守らないといけないのなら、会社をやめてこの集落に移ろうかと考え始めた。

この公民館はとても広く、一階は40畳くらいの集会場で、二階には宿泊施設がある。もちろん、台所もお風呂もトイレもある。そこで、ご夫婦はまずきれいに床を貼り直して、掃除して、布団を買って泊まれるようにし、公民館を使えるようにした。

今は、田んぼを作って、お米を作って、野菜を作って、ヤギを飼って……と、そのご夫婦はいろいろ夢を語っている。このような人たちが日本中、あちこちにいるのだ。

こういう人たちは、野生の自然と文明社会の境界線に立っている。そこを頑張って踏みとどまっている。ここがインターフェイスだということが、彼らにも直観的にわかっているからだ。

このインターフェイスには、一人でも二人でもいいから誰かゲートキーパーがいないといけない。ここにいて野生の侵入を押し戻しつつ、野生からの恵みを受け取る。

野生のもの、人間とは違う世界のものとの境界線だけが人間に恵みをもたらす。野生そのものも、文明そのものも、恵みをもたらさない。

原生林の中では生きていけないし、コンクリートの都会の中では食べるものは作れない。川があっても汚れていては水さえ飲めない。食べられる農産物も、飲める水も、それを生み出すのは野生と文明のフロントラインだからである。

だから、その境界線は誰かが守らなければならない。「センチネル（sentinel）」というのは「歩哨《ほしょう》」「番人」のことであるが、超越的なもの、野生のもの、異界のものとの境界線を守る者だ。

そういう人が一定数いなければこの世界はもたないという直感に導かれて、彼らはその集落にいるのだと思う。

「超越的なもの」に対して敬意を持つ

今、うまく学校に適応できない子どもたちがたくさんいる。なぜ学校に来ないかと言うと、子どもたちの中にある「謎めいたもの」「ミステリアスなもの」を学校教育がゼロ査定しているからだと思う。

子どもをただの「小さな大人」「無能な大人」だと思って扱っている。私はもっと子どもたちに対して、ある種の畏怖の念、敬意を持つべきだと思う。

私が道場で教えていることも実はそういうことだ。

少年部は小さい子は四歳から来ている。武道をやると礼儀正しくなるとか、愛国心が涵養《かんよう》されるというようなことを言う人がいるが、そんなことを教えているわけではない。

武道の修行をして、愛国心なんか身につくわけがない。国民国家なんていう「せこい話」をしているわけではない。どうやって「鬼神」に仕えるかという話をしているのだ。

道場で子どもたちに教えることは、とりあえず一つだけでいい。それは、「超越的なもの」に対して敬意を持つということである。

まず、道場に入る時は、正面に向かってきちんと座礼をする。

私がどうして個人で道場を作ったかというと、公共の体育館には神棚がないからだ。凱風館にはもちろん神棚がある。神棚とか仏壇とか十字架は外部への通路なわけだから、ある意味でこれほど公共性が高いものは他にない。

道場には現世の価値観が通じないものがある。それに対しては敬意を表する。それは「おのれの理解も共感も絶したものに対してはとりあえず適切な距離をとる」ということである。

この作法を身につけることが、武道を学ぶことの勘どころだと思う。

私は道場に入って稽古を始める前に必ず「お願いします」、終わったら「ありがとうございました」と言う。これは私が先に言うことにしている。

私が師範で、前に並んでいるのは弟子たちだが、弟子が「お願いします」と頭を下げるので、私が「おう、これから教えてやるぜ」というのではない。

私の「お願いします」は道場に向かって言っている。「これからしばらくの間、ここで武道の稽古をします、どうぞよい稽古ができますように、誰も怪我をしませんように、どうぞここにいる門人たちをお守りください」と、道場に懇願しているわけである。

それは野球のピッチャーがプレーボールの時に、帽子を脱いでホームベースに一礼するのと同じだ。あれは別にアンパイヤに向かってお辞儀して、ストライクゾーンを甘くしてくださいと頼んでいるわけではない。

あの一礼は「to the ball,to the field」の一礼なのである。「これから9イニング試合をしますが、どうぞ素晴らしいボールゲームができますように」と祈っているわけだ。

道場での礼もそれと同じ。これからどうぞよい稽古ができますように、といって一礼する。そういう「場に対する敬意」というのは絶対に必要である。それだけは子どもたちにも口やかましく教えている。

私に対して敬意を表する必要はない。私は道場におけるゲートキーパーだ。「この世ならざるもの」とかかわる時に、どうすればいいのか、それについて先人から伝えられた作法を多少知っている。だから、子どもたちにはそのことを伝えているだけである。

山登りをする時に、案内人の言うことを聴きなさいというのと同じである。素人が勝手な行動をすると非常に危険な目に遭うことがある。

私は朝起きるとまず一番に道場に出て、扉を開けて、一礼してから、祝詞と般若心経と不動明王の真言を唱える。そして、「臨兵闘者皆陣烈在前」と九字を切って道場を霊的に清める。それが私の毎日朝のお務めである。

第6章

「書物」という自由な世界と「知性」について

「思い上がりを叱る」という仕掛け

日本には伝統的に「旦那芸」というものがあった。もう今はすっかり廃《すた》れてしまったが、昔はある程度社会的に偉くなるとお稽古ごとをしなければならないという決まりがあった。謡《うたい》や義太夫や小唄を稽古することがなんとなく義務化されていた。なぜお稽古ごとをするのかと言うと、叱られるからである。初心のうちはもちろんだが、十年二十年稽古しても相変わらず叱られる。

昨日もお能のお稽古に行ったが、先生にさんざん叱られた。私だってもう古希を過ぎていて、お迎えが近い年なのである。その私に向かって「努力が足りない」と言うのである。あんまりだと思う。もう努力できるような体力が残っていない人間をつかまえて、80歳の先生が叱り飛ばす。道順が違う、拍子が違う、扇のさばきが違うと、叱られ続けた。

しかし、先生に叱られるのはすべて「いかにも私がしそうな間違い」なのである。ただ不器用であるとか物覚えが悪いとかいうのではない。そこに露呈しているのは、「世間をなめている」とか「早呑み込み」とか「適当」とか、まさに私の人間的欠点が露呈したところなのである。

なるほど、お稽古ごとというものは「叱られるためにお金を払う」仕組みなのだということがよくわかった。謡や舞の稽古をするというのは、謡や舞がうまくなるためにではなく、社会的に偉くなって、誰からも叱られるということがなくなった男たちに「自惚《うぬぼ》れるなよ。思い上がるなよ」とピシリと頭を叩くという教育的な仕掛けだったのではないか、そういう気がした。

図書館の教育的機能もそれに似ている。図書館も人の思い上がりを叱る場所である。図書館というのは自分が読みたい本を借りに行ったり、調べ物をしに行く場所だと思っている人が多い。たしかに、そういう機能もある。けれども、図書館の最も重要な機能は「無知を可視化すること」である。

私たちは図書館の書架の間を遊弋《ゆうよく》しながら、そこに配架されている本のほとんどを読んでいないことを思い知らされる。私の知らない学術分野があり、私が名前も知らない人の著作集がある。その背表紙を見ながら、私は「たぶんこれらの本を私は一生手に取ることがないだろう」と思う。私が生涯かけて読むことのできる本は、この図書館の蔵書の何千分の一、何万分の一にも足りないだろう。なんと、世界は「私が知らないこと」で満たされているのである。

そのことを思い知らせるのが図書館の最も重要な教育的機能だと思う。

「蔵書が無限」である図書館についての物語がいくつもあるのはそのせいだと思う。ホルス・ルイス・ボルヘスの『バベルの図書館』はその蔵書が無限である図書館がどういうものか教えてくれる。ウンベルト・エーコの『薔薇の名前』の修道院の図書館はどこまでも書架が続いていて、一度図書館に入り込むと案内人なしには二度と出ることができない。映画『インターステラー』もそうだった。ラストシーンは宇宙の果てまで続く無限の図書館の映像だった。図書館というのは「本質的に無限」なのである。

だから、図書館がそこに立ち入った人間に教えるのはたぶん「無限」という概念なのだと思う。そこに足を踏み入れた時に、おのれの人生の有限性とおのれの知の有限性を思い知る。どれほど自分がものを知らないのか、そしてものを知らないままに人生を終えるのか、それを圧倒的な量の書物がいやでも教えてくれる。私はおそらくこの蔵書のほんの一部にしか触れることができないだろう。けれども、欠片《かけら》ほどであっても、この無限に続く場所の一部には触れることができるし、うまくすればこの無限へ続く図書館の蔵書に自分が書いた書物を加算することができるかもしれない。

知的であることとはどういうことか、それは「慎ましさ」だと思う。無限の知に対する「礼儀正しさ」と言ってもいい。自分がいかにものを知らないかという有限性の覚知である。

ヨーロッパが舞台の映画を観ると、豪華な邸宅の客間というのはだいたい壁全部が書棚である。そういう映画を何百本と観てきたが、その家の主人が書棚から本を取り出して読んでいる場面を見た記憶がない。

ビジネスに成功して富豪になった人間が、貴族の屋敷を買い取って住んでいるような場合には、書棚の本はおそらく家具什器《じゅうき》の一部として「居抜き」で買ったものなのだろうと思う。自分の蔵書ではない。自分の趣味でもない。だが、目障りだからこれ全部取っ払って古本屋に売ってくれということはどうやらしていない。たぶん「そういうこと」はしてはいけないという無言のルールがあるのだろう。

ヨーロッパでは、功成り名遂げて、古くからある大きな屋敷を買い取った人間は必ずその屋敷の前の持ち主たちの蔵書に囲まれて暮らさなければならない。そういう暗黙のルールがあるように思う。書斎で仕事をしていて、ふと顔を上げると、そこに『プルターク英雄伝』とか『ローマ帝国衰亡史』とか革表紙の本が並んでいる。でも、この人はそんなものを読んでいない。それまでビジネスとか政治活動とかに忙しかったから。だから、彼の書斎にある本はおおかたが「読んでない本」「死ぬまで読まない本」なのである。そういう何千冊、何万冊もの本に囲まれて暮らす。だから、机からふと顔を上げるたびに「自分はほんとうに無知だ」ということを思い知らされる。古典を革装して、金箔のタイトルを入れて書斎に並べておく理由はそこにあると思う。

私も、おそらく一生読まない本をそれでも買い集めている。そんな本が書斎にあふれている。だから、書斎で仕事をして顔を上げる度に、壁や床の書物から「いつになったら私を手に取るつもりかね。君も、もう人生残り時間あんまりないんだぜ」と急かされているような気になる。

学ぶというのは「別人になること」である

図書館とは、おのれの無知を可視化する装置である。おのれの無知を思い知らされたことで足がすくむという経験と「この蔵書のうちの万分の一でもいいからその中味を知りたい」という学びの起動は合わせて一つのものである。

無知というのは、単に知識が欠けているということではない。そうではなくて、無用の知識が頭に詰まっているせいで、新しい情報入力ができない状態のことを「無知」と呼ぶのである。これはロラン・バルトの定義である。私もその通りだと思う。

あるトピックについて、異常に詳しく、そのフレームの中では、さまざまな数値やデータをよどみなく語れるのだけれども、視点を換えてみるということがまったくできない人がいる。そういう人のことを「無知」と呼ぶべきだろうと思う。

以前、ある政治学の専門家と対談した時に、「日米安保条約体制以外に日本の安全保障としては、どんな選択肢があり得るでしょうか？」と質問したら、相手が絶句したことがあった。そんな問いは生まれてから一度も脳裏に浮かんだことがないという顔をされた。

でも、それはおかしいと思う。もしアメリカの政治学者が「西太平洋でのアメリカの国益を最大化するために、日米安保条約体制以外にどんな選択肢があり得るか？」と訊かれたら、淡々といくつものシナリオを列挙するだろう。日米安保以外に日本の安全保障のシナリオを一つも思いつけないというのは、「頭がそれで一杯になっているせいで、新しい知識や情報が入力されない」という点で典型的な「無知」のありようだと私は思う。

無知を「ジャンクな情報で頭がぎっしり詰まっていて、新しい入力が阻害されている状態」と定義すると、おのずから「知的」というのがどういうことかわかる。それは乾いたスポンジが水を吸うように、新しい知に対しての渇望に焼かれている状態のことである。

「学ぶ」ということを、容器の中に知識や情報を詰め込んでゆくことだと考えている人が多い。でも、それは違う。「学ぶ」というのは、容器そのものの形状がどんどん変化して、容積が変化して、機能が変化してゆくということである。入力があるたびに、容器そのものが別ものに変化してゆくことを「学ぶ」と言うのである。

『三国志』の「呉下《ごか》の阿蒙《あもう》」の故事に、「士三日会わざれば、刮目《かつもく》して相待すべし」という言葉がある。学ぶ人間は三日会わないと別人になっているので、目を見開いて相まみえるべしという教えである。私が子どもの頃まではよく耳にした。でも、この三十年ほどは絶えてこの文字列を目にすることがなくなった。

「人間は『ほんとうの自分』を探し出して、それを見出《みいだ》したら、後はもう変わってはならない」という「アイデンティティ神話」がいつの間にか支配的なイデオロギーになったせいだろうけれど、その話をすると長くなるので、ここではしない。いずれにせよ、少し前までは、三日で別人になるという連続的な自己刷新のことを「学び」と呼んでいたのだけれど、ある時期から誰もそんなことを言わなくなった。

でも、学ぶことによって、人は語彙が変わり、表情が変わり、声が変わり、立ち居ふるまいが変わる。すべてが変わるという人間観・教育観に私は同意する。学校教育とは子どもたちが連続的に別人になることを支援してゆくことである。私はそう考えている。

無知に甘んじ、無知に安住しようとする子どもたちを自己刷新のプロセスに導くことが教師の仕事なのである。無知に居着いた子どもたちをそこから解きほぐすのは簡単な仕事ではない。子どもたちが無知に居着くのは、ある意味自己防衛のためだからである。

子どもたちは「半分野生」だという話を前にした。その半分野生の子どもたちを、そっと人間の世界に導くのが教育の仕事である。大人が無理やりに子どもを野生から文明に引きずり込むと、子どもたちに深い精神外傷を残すことがある。子どもの成熟はあくまで子どもたち自身の発意による自己刷新でなければならない。

自己刷新というのは、自分がその中に棲みつき、そこに安住してきた「家」から出ることである。外へ踏み出すことである。その時に、子どもは無防備な状態を一時的に通過する。この移行期において、子どもはひどく脆《もろ》く、傷つきやすい状態になる。甲殻類が硬い外被を脱ぎ捨てて、一時的に傷つきやすい柔らかい皮膚をさらさなければ成長できないように、子どもが自己刷新するためには一時的に傷つきやすく柔らかい肌を外気にさらさなければならない。連続的な自己刷新というのは非常に危険な企てなのである。自己防衛システムを一時的に解除した、脆く、傷つきやすい状態にある時に、誰かに傷つけられた経験を持った子どもはそれがトラウマとなって、それ以後自分を変えることを止めてしまう。自分の手持ちのスキームを手離した時に受けた痛みを忘れることができなくなる。

「オレは絶対に自分の生き方を変えない」と肩肘張っている子どもが時々いるが、そうなるのは彼らの罪ではない。一度は自己刷新を試みたことがあるのだけれど、その時に誰かに傷つけられ、その痛みがあまりに耐えがたいものだったので、それ以後自己刷新の企てを恐れるようになった。そういう子どもが「自分らしさ」に固着して、自分の「殻」に引きこもって、そこから出ないようになる。

　大学の教師をしていると、それはよくわかる。大学に入ってきた新入生たちを見ると、程度の差はあれ、多くが中等教育の間に何らかのトラウマ的な経験をしている。成長するために、自分の「殻」から抜け出そうとした時に、脆く傷つきやすい皮膚を外気にさらした時に、誰かに傷つけられた経験をしている。だから、身を護るためにしっかり「殻」を閉じている。絶対に教師になんか心を開かないぞという決意をもっている子もいる。

彼らに「怖がることはないよ。殻を捨てて、心を開いても誰も君を傷つけないから」ということを信じさせるために二年くらいかかる。そこまでで大学生活の半分が終わってしまう。だからようやく三年生になってからはじめて大学らしい「学び」がはじまる。困ったものである。

だから、学校教育、特に中等教育に関わっている人たちにお願いしたいのは、子どもたちが心を開いた時に、ひどく可傷的で脆弱《ぜいじゃく》な状態になった時に、決して傷を負わせないように護ってほしいということである。学校というのは、その意味では本来は「温室」でなければならない。子どもたちがどれだけ無防備になっても、誰からも傷つけられるおそれがないということを先生たちは保証してあげないといけない。

小さな子どもたちは野生や自然につながっているという話を前にした。成長に導く過程で、それを全否定すると、子どもたちは傷つく。子どもたちの中にある「野生のもの」、こう言ってよければ「聖なるもの」を毀損することなしに、そっと「大人の世界」に導き入れることが教育の要諦なのである。

子どもたちのうちにある「野生のもの」「聖なるもの」が毀損されることなしに、大人になった後も生き延びているというケースがまれにある。それが「イノセンス」である。

無垢であり、無防備であり得るというのは、実は例外的な幸運の結果なのである。子ども時代に別れを告げる時に、トラウマ的な経験を回避できた幸福な子どもたちは、長じた後も、無防備さを保つことができる。これが例外的な幸運であるのは、知的であるためにはある種の無防備さが必要だからである。

自己刷新よりも、自己防衛への気づかいのほうが優先するようなタイプの人間は「学び」には開かれていない。頑丈な甲冑《かっちゅう》で身を固めていて、どんな攻撃にも対処できるという人が同時に知的であるということはあり得ない。知的であるということは無防備であるということだからである。「無防備になれる」というのは、高度の社会的能力なのである。

大人になっても無防備であり得る人間というのは、周囲の人間に害意を醸成することがない人である。どうしても憎むことができない。どうしても傷つける気がしない。まったく無防備で、開放的でいるのに、傷つけたり辱めたりする気になれないという人がまれにいる。私はそれがある種の人間的理想だと思う。そういう人は自己刷新をためらわない。自分のスキームでは理解したり、類別したりできない現実に出会うと、惜しげもなく自分のスキームを手離し、新しく書き換えてゆくことができる。そういう「イノセントな人」は子ども時代から大人になる時に、周囲の配慮によってか、あるいは本人の天性の危機回避能力によってか、深いトラウマ的経験をすることがなかった幸運な人である。

私は学校教育の現場に長く立ってきた経験から、できるだけ子どもたちを「イノセントな状態」で世の中に送り出してゆくことが教師の責務だと思うようになった。そう考える教師はあまり多くないと思う。多くは子どもたちに「戦って、勝ち残る力」を与えようとする。それは決して間違ってはいない。でも、「自己防衛」に習熟することの代償に、子どもたちが「自己刷新」のチャンスを失うことがあるということはわきまえていたほうがいいと思う。自己防衛と自己刷新はゼロサムの関係にある。

今の日本の学校教育は子どもたちを「小さく固める」ことにはずいぶん熱心だけれども、子どもたちを「イノセント」な状態に保つことへの配慮は絶望的に足りない。だから、日本社会に今最も欠けているのは「イノセントな大人」なのだ。イノセンスを保ったまま成長した人は、金が欲しいとか、権力が欲しいとか、有名になりたいとかいう世俗的な欲望と無縁である。社会的承認をうるさく求めない。いつも穏やかに微笑んで、周りの人々を気づかい、つねに「学ぶ」ことに開かれている。

子どもたちのイノセンスを護り、かつ彼らの成長を支援するという困難な課題こそ学校教育の核心部分だと私は思う。同意してくれる人はとても少ないが。

採算度外視で書物を守る人たち

「一人書店」「一人出版社」が今、日本各地で活動している。大手メディアにとってはあまり愉快な話題ではないから、ほとんど報道されることがない。

一人書店というのは、自分の町から本屋がなくなってしまった時に、「本屋のない町」に暮らすなんて耐えられないと思った人が「じゃあ、自分の家を本屋にしてしまおう」と思ってはじめた店である。もちろん本屋だけでは生活できないから、別の仕事をして生計を立てる。月曜から金曜まで別の仕事をして、土日は自分の家で本屋をやる。聞けば、本屋を開業するためには特別な営業許可が要るわけではないらしい。もちろん取次に登録しようとしたら、とんでもない金額を納めなければならないのだけれど、出版社の中には取次を通さないで、書店に直売してくれるところがいくつもある。そういう出版社から本を買い入れて、配架して、本を読みながら店番をしていると、時々人がやってくる。座り込んで本の話をする。

宣伝もしないのにお客がやってくるというのが不思議である。なんとなく「わかる」らしい。本屋ができると独特の香りが立ち上がる。「文化の香り」というような実際的なものではなくて、もっとミステリアスなものだ。

書物は「異界との通路」である。書物がずらっと配架されていて、扉が開いていれば、それは図書館と同じ効果をもたらす。そこから「異界の風」が吹いてくるのである。わかる人にはそれがわかる。

一人出版社もそうだ。これは出版社に勤めていて、出版実務に通じている人が独立してはじめるケースが多い。大手の出版社にいて「売れる本」を出せ出せとせっつかれているうちにうんざりして、「自分が出したい本を出す」ために一人出版社をはじめたのである。

こちらもそれだけでは食えないので、別の仕事を兼業している。請負で編集の仕事をして、生活費を稼いで、身銭を切って「自分が出したい本」を出す。そういう人が増えている。

事実、ここ数年、私が出した本のうちいくつかは一人出版社のものだ。『街場の芸術論』も『困難な成熟』も『教育鼎談』も一人出版社の本である。

一人出版社はこれからどんどん増えてゆくだろうと思う。

「もう本を読まなくなった」と大手出版社の人はこぼすけれど、それはこれまでのような出版文化のスキームで出る本が読まれなくなったというだけのことである。出版文化そのものが変容しているのだ。もう「本を売って金を儲ける」モデルは使えなくなりつつある。これからは「身銭を切って本を出す」のがデフォルトになるということである。

読者の側からすれば、自分が買った本の代価が大手出版社の自社ビルの建築に使われようと、一人出版社の晩ご飯のおかずに使われようと、変わりはない。

ビジネスモデルが替わったのである。それは白亜紀末期に恐竜が死滅して、小型哺乳類が地上を支配するようになったのと似ている。大き過ぎるビジネスは、ある時点から組織温存が自己目的化するようになり、「そもそも何のために自分たちは存在するのか？」という起源の問いを忘れて、滅びてゆく。その時には、自分の仕事の意味を知っているものが生き残る。

先日、地方からの文化発信についてのシンポジウムがあって、私もオンラインで参加した。その時に一人書店の話をしたら、オンラインでつながっている女の人が「私もそうです」と教えてくれた。高知県のかなり奥深い山の中にあるので、途中で車を降りて、段々畑の間の道を歩かないと、山の上の本屋にたどりつけない。でも、その書店のセレクションが「高知で一番エッジが立っている」という評判で来客が絶えないのだそうである。実際に、オンラインで話している間にも、その山道を登って来たお客さんがいて、カメラ越しにご挨拶した。

鳥取に汽水《きすい》空港という、若いご夫婦が手作りしてはじめた書店カフェがある。ご主人のモリテツヤさんはもとは関東の人だったけれど、3・11のときに、もう都市文明は終わったと肚《はら》をくくって、西へ西へと逃げてきて、鳥取の倉吉まできたところでお金がなくなったので、そこに居着くことになったという方である。

いろいろな仕事をしていたが、ふと本屋がやりたくなった。そこで土地を借りて、大工仕事は得意なので、自力で書店カフェを建てた。そこがいま倉吉の文化的な発信拠点の一つになっている。いつの間にか日本各地から人が集まってきて、いま倉吉はとても活気がある。

私の若い友人に青木真兵君という青年がいる。彼は奥さんの海青子《みあこ》さんと一緒に奈良の東吉野村というところで「ルチャ・リブロ」という拠点を作って活動している。これは自分の家の書架を開放している「私立図書館」である。もうはじめて10年になる。この図書館にも聞き伝えて、たくさんの人が彼らの実践を見にくる。青木夫妻もこれまで何冊も本を出しているが、ほとんどは一人出版社の出版物である。

資本主義的な出版事業とはまったく無縁のところで、こういう実践が展開している。この流れはもう止まらないだろうと思う。

新語は「母語」でしか作れない

日本語の場合、母語のアーカイブは、過去に日本列島に人が住みはじめて、そこで最初に言葉を発した瞬間から、この列島内で発されたすべての音声や、書かれたすべての文字を集積している。そのアーカイブの一番表面の上澄みのところに現代日本語がある。

母語のアーカイブのことを江藤淳は「沈黙の言語」と呼んだ。それは「思考が形をなす前の淵に澱《よど》むもの」である。この「淵に澱むもの」から湧き上がってくるものが母語である。母語を通じてのみ、私たちは「死者たちの世界」「日本語が創り上げてきた文化の堆積」にアクセスすることができると江藤淳は言う。すべての時代の日本語は母語のアーカイブのうちで混じり合っている。

私たちが「新語」というものを創り出すことができるのはそのおかげである。

もう10年以上前になるが、野沢温泉にスキーに行って、露天風呂に浸《つ》かっていた時に、あとから大学生と思《おぼ》しき男子が二人きてドボンと露天に浸かった。その瞬間に、「やべぇー」とつぶやいた。

「やばい」というのは犯罪者の隠語で、もともとは「危険だ」という意味である。隠語というのは、本来周囲の人が聴いてもわからないように創作されたもののはずだが、隠語はなぜかいつの間にか市民社会の日常語彙に登録されてしまう。「ホシ」とか「デカ」とか「マッポ」とか「ヤク」とか「タタキ」とか「ヤマ」とか、刑事ものに出てくる隠語はもうまったく隠語ではなく、日常語彙である。

「やばい」もその一つのはずなのだが、露天風呂に飛び込んだ大学生たちは明らかに「危険である」という意味ではない意味でこの言葉を使っていた。しかし、私は彼らが「やばい」（音はさらに崩れた「やべぇ」になっていたが）「たいへん気持ちがよい」という意味で用いていることを瞬時に理解した。

そして、しばらくしてから、なぜ「やばい」が「たいへん気持ちがよい」に転義したことが私にわかったのか、そのほうがむしろ不思議に思えた。事実、いま手元の国語辞典で引くと「やばい」の項目には「若者言葉」として「大変気持ちが良い」「最高である」と記してある。

新語という言語現象の驚くべきところは、「はじめて聴いても意味がわかる」ということなのである。聴いて「それ、どういう意味?」と聞き返さないと意味がわからない語は「新語」になることができない。そもそも、誰もそんな言葉は口にしない。「真逆」もそうである。これをはじめて聞いたのは、忘れもしない、高橋源一郎さんとおしゃべりをしていた時である。高橋さんが「まぎゃく」という言葉を口にした時に、生まれてはじめて聴く単語だったのに、「真逆」という文字列がすぐ頭に浮かび、それが「正反対」よりもちょっと強い意味であるというニュアンスの差までわかった。

はじめて聴く語なのに、意味もニュアンスもわかる。これはかなり不思議なことである。でも、そのことを私たちは日常的に、さしたる努力もなく、行っている。「やべえ」も「真逆」も、誰かが最初に口にしてから、日本全土に行き渡るまでおそらく数週間も要していないのではないかと思う。半疑問形や「ヨーデル話法」(@タモリ)というような発声の変化も、私の記憶ではきわめて短期間に日本全土に行き渡った。

これは母語においてのみ可能である。母語集団にいる限り、どれほど聴き慣れない新語や文型が口にされても、私たちはその意味を過《あやま》たず理解することができる。それは母語のアーカイブから湧き出た「泡」のようなものだからだ。

だから、新語を作るということは外国語ではできない。どれほど流暢《りゅうちょう》にその国の言葉を話せるようになっても、新語を作ることはできない。

例えば、私が「go - went - gone」という不規則変化は覚えるのが面倒だから、これからは「go - goed - goed」でいいじゃないかと言い出しても、相手にしてもらえない。「dangerous」をこれからは「very comfortable」という意味で使おうと言っても相手にしてもらえない。外国語では新語を作れない。母語という言語的資源の奥底から湧き出したものではないからだ。

現代日本語はその母語の巨大なアーカイブのほんの上澄みにすぎない。けれども、アーカイブの一部である以上、そこからでもアーカイブの奥深くへ沈潜することができる。現代日本語を運用できる母語話者であれば、言語感覚を少し敏感にして集中すれば、日本語で書かれた古典は読めるはずである。

何年か前、私は『徒然草』の現代語訳をしたことがある。池澤夏樹さんの『個人編集日本文学全集』の中の一冊が、酒井順子さん訳の『枕草子』と高橋源一郎さん訳の『方丈記』と私の『徒然草』という組み合わせだった。『徒然草』なんか駿台予備校で読んで以来手に取ったこともない。困ったけれど、池澤さんからのご指名である。先方には深いお考えがあるのだろうと思って、お引き受けした。古語辞典を片手に訳しはじめてみたら、これがけっこうすらすら訳せるので驚いた。今から700年前に書かれたものなのに。

その時に、もし吉田兼好をタイムマシンで現代に連れてきても、二三週間くらいで現代日本語をすらすら話すようになるのではないかと思った。もとは同じ日本語である。文法はだいたい同じだし、音韻もそれほど変わっていない。知らない単語を聴いても「ああ、あの語がこう変化したのか」とわかるはずである。私たちがはじめて聴いた新語の意味やニュアンスがすぐわかるのと同じである。みな母語のアーカイブから生まれたものである。

ということは、逆に私がタイムマシンで鎌倉時代に連れて行かれても、ひと月もそこで暮らしたら、鎌倉時代のネイティブスピーカーと同じようにぺらぺら話せるようになるかもしれないということである。朝から晩まで『徒然草』を読んでいるというのは、脳の一部だけが小さなタイムマシンに乗せられて鎌倉時代に旅しているようなものである。そうなると、なんとなくはじめて見る言葉でもわかったような気持ちになる。

現代語訳を終えた後に、「『徒然草』を訳した」という演題で講演をした。講演後の質疑応答の時に、手を挙げた人がいた。高校の国語の先生で、『徒然草』の専門家で、最近その研究で博士号を取ったところだと自己紹介した。これは困った。誤訳を指摘されるのかと思ってドキドキしていたら、「たいへんよい訳でした」とほめていただいたので、ほっとした。

「特に係り結びの訳し分けがよろしい」と言う。係り結びという文法的な約束事があることは知っていたが、訳し分けないといけないほどいくつもニュアンスの違いがあることは知らなかった。私の訳が適切だったというのは、私に文法的知識があったからではない（なかった）。ふつうの日本語だと思ってすら読んでいたからである。その時に「なるほど、それが母語というものか」と思った。

母語話者であれば、どの時代のものを読んでも、慣れたらなんとなく意味がわかる。現代語も古語も根は同じ母語のアーカイブにあるのだ。江藤淳が「沈黙の言語」と呼んだのはそのことだとすとんと腑に落ちた。母語話者はそこからほとんど無尽蔵の言語資源を汲み出すことが（理論的には）可能なのだ。

本を読むことで「先入観」を手放す

子どもたちにどんな本を読ませたらよいのか訊かれた。

どんな本でも構わないとお答えした。小説でもいいし、ノンフィクションでもいい、ファンタジーでもいいし、哲学書や歴史書でもいい。ジャンルに関係なく、どんな本でも子どもにとっては豊かな滋養になる。

読書の最大の教育的効果は、子どもたちを「外へ」連れ出すことにある。

子どもたちはなかなか頑迷である。自分と同じ年齢や同じジェンダーや仲間たちの文化に深く繋縛されていて、その「檻」からなかなか出ることができない。この「居着き」を解除して、「檻」の外に出てゆくことが子どもの成熟にとっては必要である。

でも、「檻から無理やり引き出す」ことはできない。無理強いをすれば、どこかで子どもたちに傷を残すことになる。あくまで「檻」から出るのは子どもたち自身の自由意思によるのでなければならない。

読書はそれを可能にしてくれる。本を読むことを通じて、子どもたちは今の自分とはまったく違う人の中に入り込むことを愉悦として経験できるからである。遠い国の、違う時代の、年齢も、性別も、人種も、宗教も、生活文化もまったく違う人の中に入り込んでいって、その人の身体を通じて世界を経験すること、自我の呪縛、自分への居着きを解除する方法としてこれにまさるものはない。


もうこれまでに何度も書いてきたことだけれど、私自身が読書を通じてはじめて「他者の身体」に入り込んだのは11歳の時だった。その年、父がこれから『少年少女世界文学全集』を定期購読することにしたから、それを読むようにと私たち兄弟に命令した。兄はその命令を軽くスルーしたが、私は親の言いつけに従順に従った。

最初に配本されたのは東欧・南欧編で『黒い海賊』と『パール街の少年たち』の二編が収録されていた。私はまだ本を読むことに慣れていなかったので、ひと月かけても読み終えることができなかった。読み終わらないうちに次の配本がきた。これには

『ガリヴァー旅行記』と『クリスマス・キャロル』が収録されていた。これは面白くて、すぐに読み終えてしまった。それから毎月の配本が楽しみになってきた。

決定的な転機は『若草物語』が配本になった時に訪れた。1860年代ニューイングランドの四人姉妹の穏やかな日々を活写したこの小説を私はむさぼるように読み、繰り返し読み返した。ジョーの気持ちになりきって、ローリーとの微妙な関係を楽しんだ。それから次々とすばらしい少女小説が配本された。『赤毛のアン』『あしながおじさん』『愛の妖精』『小公女』……それらをむさぼり読みながら、私は少女の気持ちになって恋をするというのがどういうことかを知った。それはすばらしい経験だった。

先日、ある雑誌から山岸凉子特集をするので、山岸凉子の「怖い話」について寄稿してほしいという依頼があった。その後すぐに、今度は別の出版社から山岸凉子の「怖い話」の文庫が出るから解説を書いてほしいという依頼があった。

なぜ続くのかと考えたら、男性の物書きで少女マンガのヘビー・リーダーという人はあまりいないことに気がついた。私は数少ない「少女マンガを読める男」なのである。1970年代から90年代にかけて、山岸涼子のみならず大島弓子、竹宮恵子、萩尾望都、青池保子、山本鈴美香、美内すずえ、吉田秋生、岡崎京子、内田春菊……といった少女マンガ家たちの作品世界に私は深く耽溺《たんでき》していた。

男性は「マンガが大好き」という人でも、少女マンガにはあまり手を出さない。コマ割りやナレーションが違うからというのではなく、やはり決定的なのは男性の多くは「少女の気持ちになって世界を経験する」というモードになかなか切り替えられないからだと思う。さいわい私はそれができる。11歳から12歳にかけてむさぼるように読んだ少女小説のおかげで、私は想像的に少女になることができるようになっていたからである。

私はそのあと文学ではなく哲学を専門にする研究者になるのだが、哲学についても私のアプローチは変わらなかった。哲学者の身体の中に想像的に入り込んで、そこから世界を経験する。それが私のやり方である。小説を読む仕方と、マンガを読む仕方と、哲学書を読む仕方が、私の場合は同じなのである。

ふつうの人は哲学書を読む時に、そんな読み方はしない。哲学書と正面から向き合う。そして、自分の理解の枠組みの中に哲学者の言葉を落とし込んで、咀嚼《そしゃく》しようとする。私は違う。私は自分の理解の枠組みなんかどうでもよいのである。そんなものには何の未練もない。私がしたいのは、他者のうちに想像的に入り込んで、その人からは世界がどう見えるのかを経験すること、それだけである。想像的に他者になりたい。できるだけ私から遠い人になりたい。

私が専門的に研究したのはエマニュエル・レヴィナスというフランスのユダヤ系哲学者である。リトアニア生まれで、ドイツとフランスで教育を受け、第二次大戦後のフランスユダヤ人社会の精神的な導師の役を果たした人である。フッサールとハイデガーに師事したが、その哲学の本質的な淵源はユダヤ教信仰とタルムード弁証法にある。私と共通する点がみごとに一つもない。

でも、私は子ども時代からの読書を通じて、どれほど遠い時代の、遠い国の人であっても、どれほど私と隔たること遠い人であっても、読書によって想像的に架橋しうるということを学んできた。それは「理解する」ということとは違う。私は別にジョーやファデットやアンやジュディを「理解した」わけではない。でも、理解なんかできなくても彼女たちの紡ぐ物語はたいへんに面白かった。

読書から愉悦を引き出すことと、テクストを理解すること（作者の「意図」や登場人物の「機能」を知ること）は別の次元の出来事である。

だから、レヴィナスがどれほど私と共通するところのない、遠い人であっても、レヴィナスを読むことから私が深い愉悦を引き出すことは可能であるし、事実私はレヴィナスを読むことから、他のどんな作家の書き物からも得られないほど大きな喜びを得た。それはレヴィナスが私を「外」に連れ出してくれたということである。レヴィナスは私の「檻」から私を連れ出し、そして遠くまで（ほんとうに遠くまで）連れていってくれた。

その人に感謝を表するために、私はこれまでレヴィナスの著作を訳し、研究書を訳し、論文を書いてきた。それは私が山岸涼子の「怖い話」はなぜこんなに怖いのかについて分析したテクストと本質的には同じものだ。深い愉悦を贈ってくれた作者たちに感謝を告げるために、私は「論文」や「解説」を書いているのである。

あとがき

最後までお読みくださって、ありがとうございました。いかがでしたか。

素材はいろいろな媒体に書いたり、講演録を文字起こししたりしたものです。文体も想定読者も違うテクストをまとめたので、読みやすく整えるために、だいぶ加筆しましたので、3分の1くらいは「オリジナル書き下ろし」です。

ただ、時事的なもの（ウクライナ戦争やガザの虐殺、あるいは人口問題）については初出のままにしてなるべく手を入れないようにしました。ですから、数値的データはその時点のままになっています（GDPもまだドイツに抜かれる前で「世界3位」です）。

その時点での情報に基づいて考えたことなので、後知恵で手を入れると、話の筋目が通らなくなるかもしれませんから、そのままにしてあります。

「なんだよ、ずいぶん古い話してるなあ」という感想を持たれたかもしれませんが、そういう事情なのでご海容ください。


いろいろな媒体に二年くらいの間に書き散らしたものですけれども、通読してみると、中心的なテーマは「日本の未来を担う人たち」をどうやって支援するか、ということに尽くされているように思いました。

とくに子どもたちを「決して傷つけず、『無垢な大人』に育て上げる」ということが今の日本人にとって最優先の課題ではないかと思います。

でも、今の日本の大人たちは（家庭でも学校でも）、子どもたちを怯えさせ、萎縮させ、硬直させることに熱中しているように僕には見えます。どうして、そんなことをするんでしょう。

権力の側にいて、管理する人たちがそうするのはわかります。でも、「政治的に正しいこと」を訴える人たちも、しばしば人々を「怯えさせ、萎縮させ、硬直させる」

ことに熱中しています。

でも、声を大にして申し上げますけれども、処罰されることの恐怖からは「よきもの」は何も生まれません。創造のためにはある種の無防備さがどうしても必要です。「アジール」というのは、「無防備であっても傷つけられるリスクのない場」のことです。社会全体が「アジール」である必要はありません。でも、あちこちの片隅にそのような「ミステリアスな暗がり」がある社会のほうがみなさんだってきっと暮らしやすいと思います。

2024年2月

内田　樹

※本書は、『AERA』『信濃毎日新聞・今日の視角』『週刊金曜日』『中日新聞・視座』『赤旗』『學燈』『日本農業新聞・論点』『山形新聞・直言』『東洋経済オンライン』等に掲載され、ブログ『内田樹の研究室』に再掲載されたものを大幅に加筆修正し、新書化したものです。

内田樹（うちだ・たつる）
1950年生まれ。思想家、武道家、神戸女学院大学名誉教授、凱風館館長。著書に『ためらいの倫理学』（角川文庫）、『死と身体』（医学書院）、『街場のアメリカ論』（NTT出版）、『街場の中国論』（ミシマ社）、『日本辺境論』（新潮新書）、『街場の天皇論』（東洋経済新報社）、『レヴィナスの時間論』（新教出版社）、『コロナ後の世界』（文藝春秋）、『そのうちなんとかなるだろう』（マガジンハウス）など多数。

マガジンハウス新書 022

だからあれほど言ったのに

2024年3月28日　第1刷発行
2024年6月24日　第5刷発行

著　者　　内田樹
発行者　　鉄尾周一
発行所　　株式会社マガジンハウス
〒104-8003　東京都中央区銀座3-13-10
書籍編集部　☎ 03-3545-7030
受注センター　☎ 049-275-1811

印刷・製本／中央精版印刷株式会社
ブックデザイン／TYPEFACE（CD 渡邉民人、D 谷関笑子）
編集協力／西垣成雄（青文舎）

ISBN978-4-8387-7523-1 C0236